상위권으로 가는 연산 학습지

응용연산

D2
초4~초5

소수의 덧셈, 뺄셈

Creative to Math
씨투엠

응용연산 : 상위권으로 가는 문제해결 연산 학습지

요즘 아이들은 초등학교 입학 전에 연산 문제집 한 권 정도는 풀어본 경험이 있습니다. 어릴 때부터 연산 문제를 많이 풀었기 때문에 아이들은 아직 학교에서 배우지 않은 계산 문제를 슥슥 풀어서 부모님들을 흐뭇하게 만들기도 합니다. 그런데 아이들의 연산 능력은 날로 높아지지만 수학 실력은 과거에 비해 그다지 늘지 않은 것 같습니다. 사실 진짜 수학 실력은 연산 문제나 사고력 수학 문제를 주로 푸는 초등 저학년 때는 잘 드러나지 않습니다. 응용 문제를 본격적으로 풀기 시작하는 초등 3, 4학년이 되어서야 아이의 수학 실력을 판별할 수 있습니다.

초등 수학에서 연산이 가장 중요한 것은 부정할 수 없는 사실입니다. 중학생, 고등학생이 되어서 부족한 연산 능력을 키우는 것은 거의 불가능합니다. 이러한 연산의 특수성 때문에 아이들은 어린 나이부터 연산을 반복적으로 연습하여 실력을 키우려고 합니다. 이렇게 열심히 연산을 공부하는데도 왜 어떤 아이들은 수학 문제를 잘 풀지 못하는 것일까요? 그 이유는 현재 연산 학습의 목적이 단지 '계산을 잘 하는 것'이 되어버렸기 때문입니다. 연산은 연산 자체가 목적이 될 수 없으며 수학의 진짜 목표인 문제를 잘 풀기 위한 수단으로 연산을 학습해야 합니다.

과거 초등 수학 교과서의 연산 단원은 ① 원리와 연습 ② 문장제 활용의 단순한 구성이었습니다만 요즘의 교과서는 많이 달라졌습니다. 원리와 연습은 그대로이거나 조금 줄었지만 연산을 응용하는 방식은 좀 더 다양해졌습니다. 계산 능력의 향상만을 꾀하는 것이 아니라 여러 가지 퍼즐이나 수학적 상황 등을 해결할 수 있는 '응용력'에 초점을 맞추고 있다는 것을 보여주는 변화입니다. 따라서 저희는 연산 학습지도 원리나 연습 위주에서 벗어나 실제 문제를 해결할 수 있는 능력에 포인트를 맞추어야 한다고 생각합니다.

'연산은 잘 하는데 수학 문제는 왜 못 풀까요?'에 대한 대답이자 대안으로 저희는 「응용연산」이라는 새로운 컨셉의 연산 학습지를 만들었습니다. 연산 원리를 이해하고 연습하는 것에 그치지 않고, 익힌 것을 활용하는 방법을 바로 보여줄 수 있어야 아이들이 수학 문제에 연산을 효과적으로 적용할 수 있습니다. 연습은 꼭 필요한 만큼만 하고, 더 중요한 응용 문제에 바로 도전함으로써 연산과 문제 해결이 단절되지 않게 하는 것이 「응용연산」에서 기대하는 가장 큰 목표입니다.

「응용연산」을 통해 아이들이 왜 연산을 해야 하는지 스스로 느낄 수 있을 것이라 자신합니다. 이제 연산은 '원리'나 '연습'이 아닌 스스로 문제를 해결할 수 있는 '응용력'입니다.

응용연산의 구성과 특징

- 매일 부담없이 4쪽씩 연산 학습
- 매주 4일간 단계별 연산 학습과 응용 문제를 통한 연산 실력 확인
- 매주 1일 형성평가로 테스트 및 복습

주차별 구성

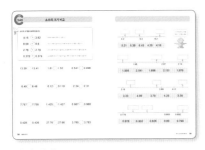

원리연산
대표 문제를 통해 학습하는 매일 새로운 단계별 연산 학습

응용연산
기본 문제와 응용 문제를 통한 응용력과 문제해결력 증진

형성평가
가장 중요한 유형을 다시 한번 복습하며 주차 학습 마무리

1주차	1일	2일	3일	4일	5일
	6쪽 ~ 9쪽	10쪽 ~ 13쪽	14쪽 ~ 17쪽	18쪽 ~ 21쪽	22쪽 ~ 24쪽

2주차	1일	2일	3일	4일	5일
	26쪽 ~ 29쪽	30쪽 ~ 33쪽	34쪽 ~ 37쪽	38쪽 ~ 41쪽	42쪽 ~ 44쪽

3주차	1일	2일	3일	4일	5일
	46쪽 ~ 49쪽	50쪽 ~ 53쪽	54쪽 ~ 57쪽	58쪽 ~ 61쪽	62쪽 ~ 64쪽

4주차	1일	2일	3일	4일	5일
	66쪽 ~ 69쪽	70쪽 ~ 73쪽	74쪽 ~ 77쪽	78쪽 ~ 81쪽	82쪽 ~ 84쪽

정답 및 해설

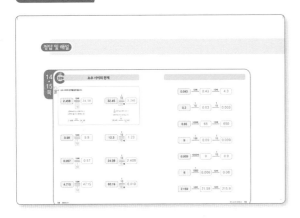

문제와 답을 한눈에 볼 수 있습니다.

이 책의 차례

1주차

소수 두·세 자리 수

소수 두·세 자리 수 알아보고 소수의 크기 비교하기

소수 두 자리 수

개념
원리

소수 두 자리 수에 대해 알아봅시다. 바른 것에 ◯표 합니다.

분수 $\frac{1}{100}$을 소수로 나타내면 (0.1 , (0.01))입니다.

0.75는 (0.1 , (0.01))이 75개입니다.

15.24는 (십오점 이십사 , 일오점 이사 , (십오점 이사))라고 읽습니다.

4.25에서 소수 첫째 자리 숫자는 (4 , (2) , 5)입니다.

4.25에서 소수 둘째 자리 숫자는 (4 , 2 , (5))입니다.

분수 $\frac{1}{100}$을 소수로 0.01이라 쓰고, 영점 영일이라고 읽습니다.

0.75는 0.1이 7개, 0.01이 5개입니다.

소수를 읽을 때에는 소수점 아래 부분은 한 자리씩 끊어 읽습니다. 15.24
십오 점 이사

4.25에서 2는 소수 첫째 자리 숫자이고, 0.2를 나타냅니다. 5는 소수 둘째 자리 숫자이고 0.05를 나타냅니다.

분수 $\frac{15}{100}$를 소수로 나타내면 (1.5 , 0.15)입니다.

0.08은 (0.1 , 0.01)이 8개입니다.

0.22는 (영점 이십이 , 이점 이 , 영점 이이)라고 읽습니다.

0.89에서 소수 첫째 자리 숫자는 (0 , 8 , 9)입니다.

0.89에서 소수 둘째 자리 숫자는 (0 , 8 , 9)입니다.

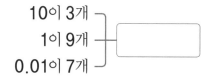

1이 8개
$\dfrac{1}{10}$ 이 3개
$\dfrac{1}{100}$ 이 7개

1이 8개
$\dfrac{1}{10}$ 이 2개
$\dfrac{1}{100}$ 이 9개

1이 15개
0.01이 8개

1이 6개
0.01이 75개

1이 10개
$\dfrac{1}{100}$ 이 3개

1이 11개
$\dfrac{1}{100}$ 이 52개

10이 3개
0.01이 18개

1이 24개
0.01이 69개

1 관계있는 것끼리 선으로 이으세요.

0.01이 38개인 수	3.08	이점 팔
$\frac{1}{100}$이 28개인 수	2.8	삼점 영팔
1이 3개, 0.01이 8개인 수	0.28	영점 이팔
$\frac{1}{10}$이 28개인 수	0.38	영점 삼팔

2 □ 안에 알맞은 수를 쓰세요.

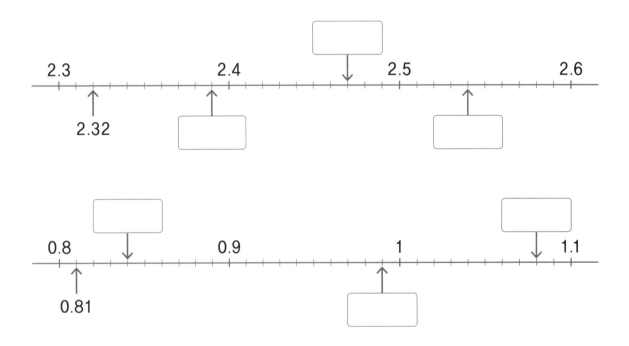

3 소수를 바르게 읽지 못한 친구를 모두 찾아 이름을 쓰고 바르게 읽으세요.

| 2.78 | 8.08 | 0.95 | 12.07 | 5.25 |

이점 칠팔 / 슬기
팔점 팔 / 정호
영점 구오 / 승희
일이점 영칠 / 준희
오점 이십오 / 민주

이름: _____ , _____ , _____

바르게 읽기: _____ , _____ , _____

4 조건에 맞는 수를 쓰세요.

• 소수 두 자리 수입니다.
• 3보다 크고 4보다 작습니다.
• 소수 첫째 자리 숫자는 8입니다.
• 소수 둘째 자리 숫자는 0.04를 나타냅니다.

• 소수 두 자리 수입니다.
• 2.3보다 크고 2.4보다 작습니다.
• 소수 둘째 자리 숫자는 9입니다.

5 0.5와 0.6 사이에 있는 소수 두 자리 수는 모두 몇 개일까요?

_____ 개

소수 세 자리 수

개념
원리

소수 세 자리 수에 대해 알아봅시다. 바른 것에 ◯표 합니다.

분수 $\dfrac{1}{1000}$ 을 소수로 나타내면 (0.1 , 0.01 , ⟨0.001⟩)입니다.

0.025는 (0.1 , 0.01 , ⟨0.001⟩)이 25개입니다.

12.017는 (십이점 십칠 , 일이점 영일칠 , ⟨십이점 영일칠⟩)이라고 읽습니다.

5.329에서 소수 셋째 자리 숫자는 (5 , 3 , 2 , ⑨)이고, (9 , 0.9 , 0.09 , ⟨0.009⟩)
를 나타냅니다.

분수 $\dfrac{1}{1000}$ 을 소수로 0.001이라 쓰고, 영점 영영일이라고 읽습니다.
0.025는 0.01이 2개, 0.001이 5개입니다.

분수 $\dfrac{23}{1000}$ 을 소수로 나타내면 (2.3 , 0.23 , 0.023)입니다.

0.102는 ($\dfrac{1}{10}$, $\dfrac{1}{100}$, $\dfrac{1}{1000}$)이 102개입니다.

13.092는 (십삼점 구십이 , 일삼점 영구이 , 십삼점 영구이)라고 읽습니다.

7.038에서 소수 셋째 자리 숫자는 (7 , 0 , 3 , 8)이고, (8 , 0.8 , 0.08 , 0.008)
을 나타냅니다.

1이 3, 0.1이 5, 0.01이 5, 0.001이 5인 수

1이 5, $\frac{1}{10}$이 8, $\frac{1}{100}$이 1, $\frac{1}{1000}$이 9인 수

1이 7, 0.1이 8, 0.001이 27인 수

1이 10, $\frac{1}{100}$이 13, $\frac{1}{1000}$이 5인 수

0.1이 18, 0.001이 43인 수

1이 4, 0.01이 85, 0.001이 9인 수

1이 15, 0.01이 5, 0.001이 8인 수

0.1이 10, 0.01이 4, 0.001이 7인 수

1 숫자 **3**이 나타내는 수를 쓰세요.

| 3.248 | 7.653 | 5.329 | 8.039 |

2 숫자 **8**이 나타내는 수가 큰 수부터 차례로 쓰세요.

| 0.815 | 8.006 | 2.185 | 0.948 |

3 ☐ 안에 알맞은 수를 쓰세요.

1.53 ↑ 1.54

9.85 ↑ 9.86

6 ↑ 6.01

3.99 ↑ 4

4 소수를 다음과 같이 나타내세요.

$$6.235 = 6 + 0.2 + 0.03 + 0.005$$

$8.197 = $ _____

$5.328 = $ _____

5 조건에 맞는 수를 쓰세요.

• 소수 세 자리 수입니다.
• 5보다 크고 6보다 작습니다.
• 소수 첫째 자리 숫자가 나타내는 수는 0.7입니다.
• 소수 둘째 자리 숫자는 8입니다.
• 소수 둘째 자리 숫자와 소수 셋째 자리 숫자가 같습니다.

_____

• 소수 세 자리 수입니다.
• 7보다 크고 7.1보다 작습니다.
• 소수 둘째 자리 숫자는 0.08을 나타냅니다.
• 소수 셋째 자리 숫자는 9입니다.

_____

6 다음 수를 쓰고 읽으세요.

0.1이 12, 0.01이 25, 0.001이 17인 수

쓰기:
_____

읽기:
_____

소수 사이의 관계

개념
원리

소수 사이의 관계를 알아봅시다.

2.458 $\xrightarrow[\frac{1}{10}]{10배}$ 24.58

32.45 $\xrightarrow[10배]{\frac{1}{10}}$ 3.245

10배 하면 소수점의 위치가
오른쪽으로 한 칸 움직입니다.

$\frac{1}{10}$ 하면 소수점의 위치가
왼쪽으로 한 칸 움직입니다.

2.458 $\xrightarrow{10배}$ 24.58

32.45 $\xrightarrow{\frac{1}{10}}$ 3.245

0.98 $\xrightarrow[\quad]{10배}$ ☐

12.3 $\xrightarrow[☐배]{\frac{1}{10}}$ ☐

0.057 $\xrightarrow[\quad]{10배}$ ☐

24.08 $\xrightarrow[☐배]{\frac{1}{10}}$ ☐

4.715 $\xrightarrow[\quad]{10배}$ ☐

60.19 $\xrightarrow[☐배]{\frac{1}{10}}$ ☐

0.043 →(10배)→ ☐ →(10배)→ ☐

0.3 →($\frac{1}{10}$)→ ☐ →($\frac{1}{10}$)→ ☐

0.65 →(100배)→ ☐ →(10배)→ ☐

9 →($\frac{1}{100}$)→ ☐ →($\frac{1}{10}$)→ ☐

0.009 →(1000배)→ ☐ →($\frac{1}{10}$)→ ☐

6 →($\frac{1}{1000}$)→ ☐ →(10배)→ ☐

2.159 →(10배)→ ☐ →(10배)→ ☐

1 같은 수끼리 선으로 이으세요.

$0.3의 \dfrac{1}{100}$

$0.3의 \dfrac{1}{10}$

0.003의 100배

0.3

0.03

0.003

$0.03의 \dfrac{1}{10}$

0.03의 10배

0.003의 10배

2 화살표 약속에 맞게 ☐ 안에 알맞은 수를 쓰세요.

약속

⟶ 10배   ⟶ $\dfrac{1}{10}$

⟹ 100배   ⟹ $\dfrac{1}{100}$

⟹ 1000배   ⟹ $\dfrac{1}{1000}$

0.007 ⟶ ☐

2.016 ⟹ ☐

0.24 ⟶ ☐

11.5 ⟹ ☐

49 ⟹ ☐

☐ ⟶ 2.08

☐ ⟹ 20.9

☐ ⟹ 516

3 ☐ 안에 들어가는 수를 모두 더하면 얼마일까요?

0.5를 10배 한 수는 0.005의 ☐ 배입니다.

20은 2의 $\frac{1}{100}$ 인 수의 ☐ 배입니다.

3을 10배 한 수는 0.3의 ☐ 배입니다.

4 물음에 답하세요.

| 5.204 | 0.405 | 4.05 | 8.6 |
| 0.086 | 0.45 | 5.24 | 52.4 |

1보다 작은 수를 모두 쓰세요.

40.5의 $\frac{1}{100}$ 인 수를 쓰세요.

10배 하면 4.5가 되는 수를 쓰세요.

한 수가 다른 수의 100배가 되는 두 수를 찾아 ☐ 안에 쓰세요.

☐ $\xrightarrow{\text{100배}}$ ☐

소수의 크기 비교

개념
원리

소수의 크기를 비교하여 봅시다.

<u>4</u>.15 > <u>3</u>.82   자연수 부분이 큰 쪽이 더 큽니다.

8.<u>5</u>9 < 8.<u>6</u>   자연수 부분이 같으면 소수 첫째 자리 숫자의 크기를 비교합니다.

2.7<u>6</u> < 2.7<u>9</u>   소수 첫째 자리 숫자가 같으면 소수 둘째 자리 숫자의 크기를 비교합니다.

0.37<u>8</u> > 0.37<u>4</u>   소수 둘째 자리 숫자가 같으면 소수 셋째 자리 숫자의 크기를 비교합니다.

13.39 ◯ 13.41   1.61 ◯ 1.52   0.541 ◯ 0.498

6.49 ◯ 6.48   0.12 ◯ 0.119   2.34 ◯ 2.31

7.757 ◯ 7.758   1.425 ◯ 1.427   0.987 ◯ 0.988

0.428 ◯ 0.436   27.76 ◯ 27.66   3.785 ◯ 3.783

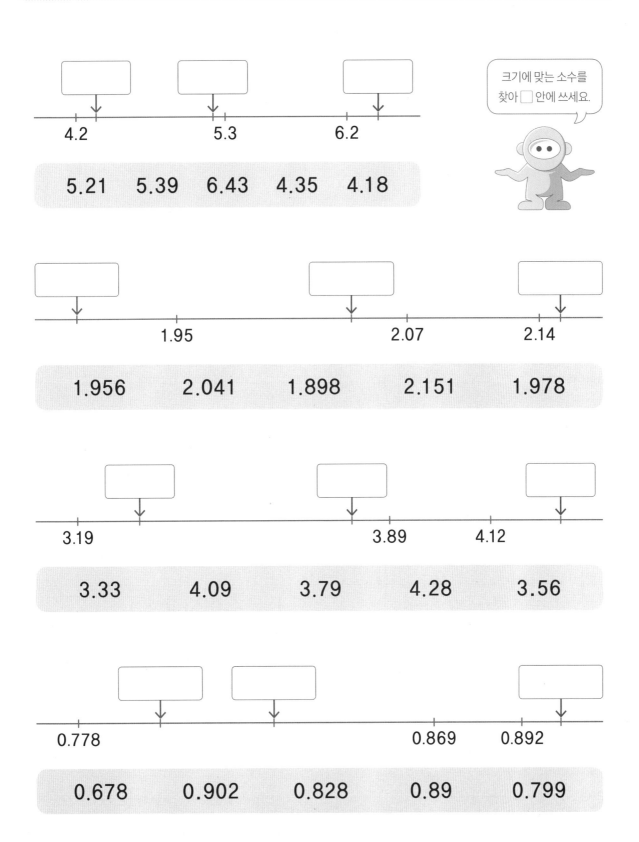

크기에 맞는 소수를
찾아 ☐ 안에 쓰세요.

4.2   5.3   6.2

| 5.21 | 5.39 | 6.43 | 4.35 | 4.18 |

1.95   2.07   2.14

| 1.956 | 2.041 | 1.898 | 2.151 | 1.978 |

3.19   3.89   4.12

| 3.33 | 4.09 | 3.79 | 4.28 | 3.56 |

0.778   0.869   0.892

| 0.678 | 0.902 | 0.828 | 0.89 | 0.799 |

1 큰 수부터 차례로 쓰세요.

| 1.685 1.7 |
| 1.69 1.687 |

| 0.987 1.001 |
| 0.899 0.988 |

| 2.229 2.238 |
| 2.235 2.345 |

2 ☐ 안에 들어갈 수 있는 가장 큰 수를 쓰세요.

$$0.8\boxed{}9 < 0.898 \qquad\qquad 3.123 > 3.1\boxed{}2$$

3 ☐ 안에 들어갈 수 있는 가장 작은 수를 쓰세요.

$$2.4\boxed{}6 > 2.438 \qquad\qquad 1.5\boxed{}8 > 1.517$$

4 수 카드를 사용하여 소수를 만드세요.

수 카드 **3**장을 한 번씩 사용하여 만들 수 있는 가장 큰 소수 두 자리 수와 가장 작은 소수 두 자리 수를 쓰세요.

_____ , _____

수 카드 **4**장을 한 번씩 사용하여 만들 수 있는 가장 큰 소수 세 자리 수와 가장 작은 소수 세 자리 수를 쓰세요.

_____ , _____

5 작은 수부터 차례로 쓴 것입니다. ☐ 안에 알맞은 수를 쓰세요.

13.3☐9   1☐.318   13.31☐

6 일의 자리 숫자가 **4**, 소수 셋째 자리 숫자가 **4**인 수보다 큰 수 중에서 **4.01**보다 작은 소수 세 자리 수를 모두 쓰세요.

_____

1 소수를 바르게 읽지 못한 친구를 모두 찾아 이름을 쓰고 바르게 읽으세요.

| 3.23 | 5.56 | 9.09 | 12.78 | 13.1 |

| 삼점 이십삼 | 오점 오육 | 구점 구 | 십이점 칠팔 | 일삼점 일 |

우진   민주   준희   수영   정호

이름: _____ , _____ , _____

바르게 읽기: _____ , _____ , _____

2 조건에 맞는 소수를 쓰세요.

- 소수 두 자리 수입니다.
- 0보다 크고 1보다 작습니다.
- 소수 첫째 자리 숫자는 5입니다.
- 소수 둘째 자리 숫자는 0.08을 나타냅니다.

_____

- 소수 세 자리 수입니다.
- 1.12보다 크고 1.13보다 작습니다.
- 소수 셋째 자리 숫자는 8입니다.

_____

3 2.63과 2.64 사이에 있는 소수 세 자리 수는 모두 몇 개일까요?

_____ 개

4 소수를 다음과 같이 나타내세요.

$$4.123 = 4 + 0.1 + 0.02 + 0.003$$

9.583 = _____

6.794 = _____

5 ☐ 안에 들어가는 수를 모두 더하면 얼마일까요?

3은 0.003의 [   ]배입니다.

23은 0.23의 [   ]배입니다.

90.5는 0.905의 [   ]배입니다.

_____

0.1을 1000배 한 수는 1의 [   ]배입니다.

900은 9의 $\frac{1}{10}$인 수의 [   ]배입니다.

5를 100배 한 수는 0.5의 [   ]배입니다.

_____

6 수를 보고 물음에 답하세요.

| 12.3 | 2.02 | 0.07 | 0.707 |
| 2.22 | 7.07 | 1.245 | 0.123 |

70.7의 $\frac{1}{100}$인 수를 쓰세요.

_____

1000배 했을 때 123이 되는 수를 쓰세요.

_____

한 수가 다른 수의 10배가 되는 두 수를 찾아 □ 안에 쓰세요.

7 □ 안에 들어갈 수 있는 가장 작은 수를 쓰세요.

3.5□3 > 3.538   0.1□9 > 0.162

8 □ 안에 들어갈 수 있는 가장 큰 수를 쓰세요.

2.222 > 2.2□3   1.689 > 1.6□7

2주차

조건과 소수,
단위와 소수

조건에 맞는 소수와 단위 변화에 따른 수 알아보기

소수와 뛰어 세기

소수를 뛰어 세어 봅시다.

0.2씩

| 15.34 | 15.54 | 15.74 | 15.94 | 16.14 | 16.34 |

0.003씩

| 1.025 | 1.028 | 1.031 | 1.034 | 1.037 | 1.04 |

0.5씩

| 11.26 | 11.76 | 12.26 | | | |

0.04씩

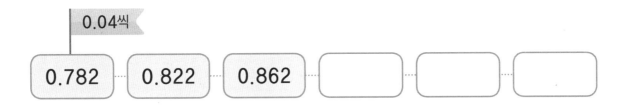

| 0.782 | 0.822 | 0.862 | | | |

0.3씩

| 7.45 | 7.75 | 8.05 | | | |

13.13 · 13.16 · 13.19 · ☐ · ☐ · ☐

11.12 · 11.42 · 11.72 · ☐ · ☐ · ☐

0.53 · 0.73 · 0.93 · ☐ · ☐ · ☐

2.35 · 2.39 · 2.43 · ☐ · ☐ · ☐

9.128 · 9.133 · 9.138 · ☐ · ☐ · ☐

1.112 · 1.116 · 1.12 · ☐ · ☐ · ☐

4.335 · 4.365 · 4.395 · ☐ · ☐ · ☐

6.583 · 6.783 · 6.983 · ☐ · ☐ · ☐

1 ☐ 안에 알맞은 수를 쓰세요.

0.001 작은 수 ← 0.854 → 0.001 큰 수

0.01 작은 수 ← 0.854 → 0.01 큰 수

0.1 작은 수 ← 0.854 → 0.1 큰 수

0.001 작은 수 ← 2.409 → 0.001 큰 수

0.01 작은 수 ← 2.409 → 0.01 큰 수

0.1 작은 수 ← 2.409 → 0.1 큰 수

2 수를 배열한 규칙이 같은 것끼리 선으로 이으세요.

	0.08	0.12
0.16	0.2	0.24

5.86	6.06	
6.26	6.46	6.66

	1.123	1.323
1.523	1.723	1.923

7.754	7.759	
7.764	7.769	7.774

	9.82	9.825
9.83	9.835	9.84

2.335	2.375	
2.415	2.455	2.495

3 일정한 규칙으로 수를 쓴 것입니다. 빈칸에 알맞은 수를 쓰세요.

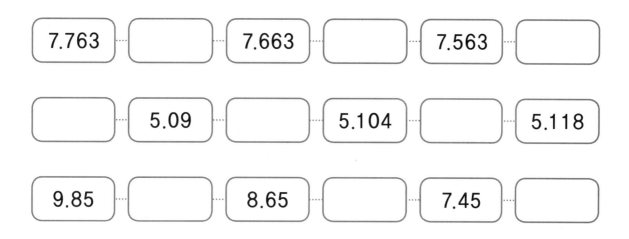

4 소수를 뛰어 센 것입니다. 물음에 답하세요.

1.5에서 출발하여 0.05씩 커지도록 5번 뛰어 세었습니다. 도착 지점의 수는 얼마일까요?

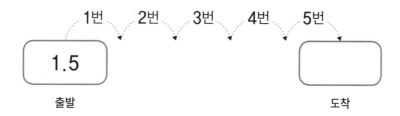

어떤 수에서 출발하여 0.04씩 커지도록 하여 5번 뛰어 세었습니다. 도착 지점의 수가 1.25일 때 출발 지점의 수는 얼마일까요?

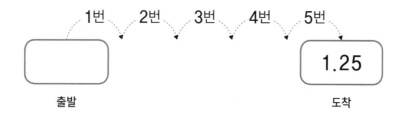

조건과 소수

소수에 맞는 조건을 만들어 봅시다. 옳은 것에 ○표 합니다.

2.36

- 소수 (한 , (두), 세) 자리 수입니다.
- 2보다 ((크고), 작고) 3보다 (큽니다 , (작습니다)).
- 소수 둘째 자리 숫자는 (2 , 3 , (6))입니다.
- (0.1 , (0.01), 0.001)이 236개인 수입니다.
- 이 소수를 10배 하면 (0.236 , (23.6))입니다.

12.8

- 소수 (한 , 두 , 세) 자리 수입니다.
- 12보다 (크고 , 작고) 13보다 (큽니다 , 작습니다).
- 소수 첫째 자리 숫자는 (1 , 2 , 8)입니다.
- (0.1 , 0.01 , 0.001)이 128개인 수입니다.
- 이 소수의 $\frac{1}{10}$ 은 (128 , 1.28 , 0.128)입니다.

0.209

- 소수 (한 , 두 , 세) 자리 수입니다.
- 1보다 (큽니다 , 작습니다).
- 소수 둘째 자리 숫자는 (2 , 0 , 9)입니다.
- (0.1 , 0.01 , 0.001)이 209개인 수입니다.
- 이 소수의 100배는 (2.09 , 20.9 , 2.9)입니다.

소수 두 자리 수

2.5	0.25	11.5
9.84	0.105	10.9

조건에 맞는 수에 모두 ○표 하세요.

소수 첫째 자리 숫자가 7

8.07	10.25	11.7
9.65	0.78	9.37

1보다 작은 소수

4.52	1.02	2.342
0.98	3.23	0.251

소수 한 자리 수

3.002	4.5	13.2
9.301	8.88	2.03

소수 둘째 자리 숫자가 9

0.09	9.98	1.039
2.923	3.392	9.123

5.2보다 크고, 5.3보다 작은 소수

5.209	52.5	5.198
5.301	4.98	5.287

각 자리 숫자가 모두 다른 소수

4.171	2.763	1.021
2.244	1.354	3.868

1 관계있는 것끼리 선으로 이으세요.

| 0.73 | 1.709 | 15.7 |

| 0.78 | 11.57 | 8.51 |

| 5.74 | 5.008 | 5.5 |

○ 소수 두 자리 수입니다.

○ 소수 첫째 자리 숫자가 **7**입니다.

○ **5**보다 크고 **6**보다 작습니다.

2 조건에 맞는 소수를 쓰세요.

- 소수 두 자리 수입니다.
- **8**보다 크고 **9**보다 작습니다.
- 소수 첫째 자리 숫자와 둘째 자리 숫자의 합은 **5**입니다.
- 소수 둘째 자리 숫자는 **3**으로 나누어떨어집니다.

- 소수 두 자리 수입니다.
- 각 자리 숫자는 **5**보다 큽니다.
- **7**보다 크고 **8**보다 작습니다.
- 소수 첫째 자리 숫자와 둘째 자리 숫자의 차는 **3**입니다.
- 소수 첫째 자리 숫자는 **2**로 나누어떨어집니다.

3 다음 카드를 한 번씩 모두 사용하여 조건에 맞는 수를 만드세요.

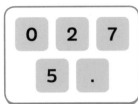

- 3보다 크고 7보다 작습니다.
- 이 소수를 100배 하면 소수 첫째 자리 숫자는 7이 됩니다.
- 소수 둘째 자리 숫자는 소수 첫째 자리 숫자보다 큽니다.

---

1 6 3

4 .

- 2보다 크고 6보다 작습니다.
- 이 소수를 10배 하면 소수 둘째 자리 숫자는 4가 됩니다.
- 소수 둘째 자리 숫자는 소수 첫째 자리 숫자보다 작습니다.

---

4 다음 조건에 맞는 수를 모두 쓰세요.

- 1보다 작은 소수 세 자리 수입니다.
- 소수 첫째 자리 숫자와 소수 셋째 자리 숫자는 같습니다.
- 이 소수를 10배하면 소수 첫째 자리 숫자는 5가 됩니다.
- 소수 셋째 자리 숫자는 소수 둘째 자리 숫자보다 큽니다.

길이와 단위

개념
원리

mm, cm, m 사이의 관계를 알아봅시다.

1 cm =   10 mm ➡ 1 mm = $\boxed{0.1}$ cm

1 m = 100 cm ➡ 1 cm = $\boxed{0.01}$ m

1 m = 1000 mm ➡ 1 mm = $\boxed{0.001}$ m

1 m는 100 cm, 1 cm는 10 mm이므로 1 m는 1000 mm입니다.
1 mm는 0.1 cm, 1 cm는 0.01 m이므로 1 mm는 0.001 m입니다.

3 cm =   30 mm ➡ 3 mm = $\boxed{}$ cm

5 m =   500 cm ➡ 5 cm = $\boxed{}$ m

2 m = 2000 mm ➡ 2 mm = $\boxed{}$ m

4 cm =   40 mm ➡ 4 mm = $\boxed{}$ cm

8 m =   800 cm ➡ 8 cm = $\boxed{}$ m

6 m = 6000 mm ➡ 6 mm = $\boxed{}$ m

15 cm =   150 mm ➡ 15 mm = $\boxed{}$ cm

27 m = 2700 cm ➡ 27 cm = $\boxed{}$ m

19 m = 19000 mm ➡ 19 mm = $\boxed{}$ m

5 mm = ☐ cm

48 mm = ☐ cm

1.8 cm = ☐ mm

0.96 cm = ☐ mm

240 cm = ☐ m

763.7 cm = ☐ m

0.432 m = ☐ cm

0.12 m = ☐ cm

695 mm = ☐ m

50 mm = ☐ m

0.37 m = ☐ mm

1.092 m = ☐ mm

824.4 mm = ☐ cm

754 cm = ☐ m

0.061 cm = ☐ mm

0.7 m = ☐ cm

1 관계있는 것끼리 선으로 이으세요.

2.8 cm	0.28 cm
280 mm	0.28 m
0.0028 m	28 mm

77 mm	77 cm
0.77 m	0.077 m
7.7 cm	7.7 cm

2 길이를 비교한 후 알맞은 길이를 찾아 ☐ 안에 쓰세요.

4.2 cm	25 mm
0.036 m	39 mm

37 mm	0.04 m
4.3 cm	3.5 cm

3 □ 안에 알맞은 수를 쓰세요.

$$13 \text{ mm} = \boxed{} \text{ cm} = \boxed{} \text{ m}$$

$$\boxed{} \text{ m} = 2.3 \text{ cm} = \boxed{} \text{ mm}$$

$$\boxed{} \text{ mm} = 115.8 \text{ cm} = \boxed{} \text{ m}$$

$$\boxed{} \text{ mm} = \boxed{} \text{ cm} = 0.284 \text{ m}$$

4 영주가 가진 색 테이프는 0.49 m, 보미가 가진 색 테이프는 48.5 cm입니다. 누구의 색 테이프가 더 길까요?

5 다음은 현식이와 친구들이 가진 연필의 길이입니다. 길이가 긴 연필을 가진 사람부터 차례로 이름을 쓰세요.

> 현식: 69.9 mm   도혁: 0.072 m   민혁: 7.02 cm
> 수환: 7.32 cm   현웅: 71.2 mm

$$\boxed{} - \boxed{} - \boxed{} - \boxed{} - \boxed{}$$

단위 사이의 관계

 개념
원리

단위 사이의 관계를 알아봅시다.

1 kg = ⟨1000⟩ g ➡ 1 g = ⟨0.001⟩ kg

1 L = ⟨1000⟩ mL ➡ 1 mL = ⟨0.001⟩ L

1 km = ⟨1000⟩ m ➡ 1 m = ⟨0.001⟩ km

	단위	단위 사이의 관계
무게	g, kg	1 kg = 1000 g
들이	mL, L	1 L = 1000 mL
길이	mm, m, km	1 km = 1000 m, 1 m = 1000 mm

2 kg = ⟨　⟩ g ➡ 2 g = ⟨　⟩ kg

8 L = ⟨　⟩ mL ➡ 8 mL = ⟨　⟩ L

7 km = ⟨　⟩ m ➡ 7 m = ⟨　⟩ km

5 kg = ⟨　⟩ g ➡ 5 g = ⟨　⟩ kg

13 kg = ⟨　⟩ g ➡ 13 g = ⟨　⟩ kg

21 L = ⟨　⟩ mL ➡ 21 mL = ⟨　⟩ L

18 km = ⟨　⟩ m ➡ 18 m = ⟨　⟩ km

37 L = ⟨　⟩ mL ➡ 37 mL = ⟨　⟩ L

3 g = [　　　] kg

15 g = [　　　] kg

0.245 kg = [　　　] g

0.58 kg = [　　　] g

0.465 L = [　　　] mL

0.076 L = [　　　] mL

281 mL = [　　　] L

8110 mL = [　　　] L

6400 m = [　　　] km

304 m = [　　　] km

0.073 km = [　　　] m

0.108 km = [　　　] m

229 g = [　　　] kg

0.701 L = [　　　] mL

3.4 kg = [　　　] g

934 mL = [　　　] L

1 더 무거운 쪽에 ◯표 하세요.

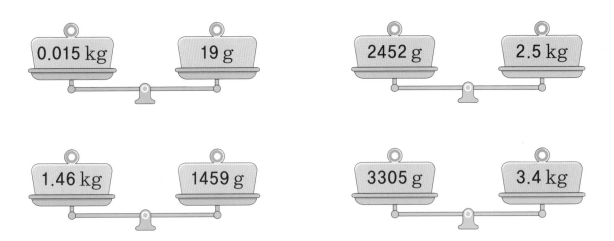

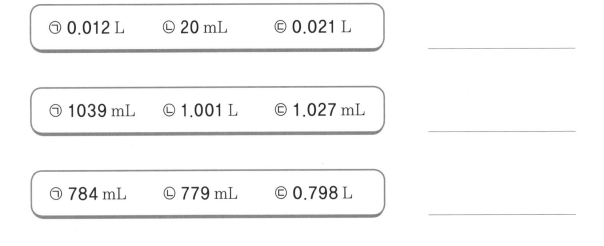

2 들이가 가장 큰 것부터 차례로 기호를 쓰세요.

| ㉠ 0.012 L | ㉡ 20 mL | ㉢ 0.021 L |

_____

| ㉠ 1039 mL | ㉡ 1.001 L | ㉢ 1.027 mL |

_____

| ㉠ 784 mL | ㉡ 779 mL | ㉢ 0.798 L |

_____

| ㉠ 61.53 L | ㉡ 6.167 L | ㉢ 6153 mL |

_____

3 학교에서 가까운 곳부터 차례로 쓰세요.

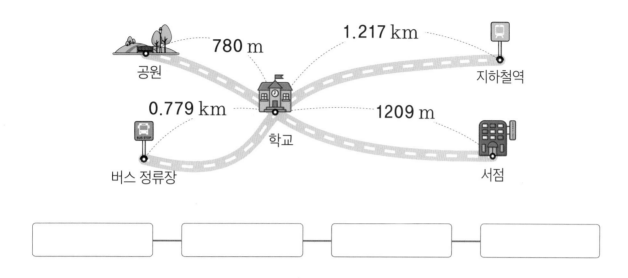

4 요구르트는 한 병에 **70** mL가 들어 있습니다. 작은 상자 하나에 요구르트가 **10**병씩 들어 있고, 큰 상자 하나에는 작은 상자가 **10**개씩 들어 있습니다. 물음에 답하세요.

한 병에 들어 있는 요구르트는 몇 L일까요?

_____ L

작은 상자 하나에 들어 있는 요구르트는 모두 몇 L일까요?

_____ L

큰 상자 하나에 들어 있는 요구르트는 모두 몇 L일까요?

_____ L

1 수를 배열한 규칙이 같은 것끼리 선으로 이으세요.

	1.03	1.07
1.11	1.15	1.19

3.128	3.13	
3.132	3.134	3.136

	7.89	8.19
8.49	8.79	9.09

8.725	8.765	
8.805	8.845	8.885

	6.545	6.547
6.549	6.551	6.553

0.2	0.5	
0.8	1.1	1.4

2 소수를 뛰어 센 것입니다. 물음에 답하세요.

2.3에서 출발하여 0.03씩 커지도록 5번 뛰어 세었습니다. 도착 지점의 수는 얼마일까요?

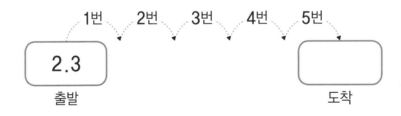

어떤 수에서 출발하여 0.007씩 커지도록 하여 5번 뛰어 세었습니다. 도착 지점의 수가 3.45
일 때 출발 지점의 수는 얼마일까요?

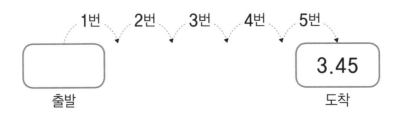

3 주어진 카드를 한 번씩 모두 사용하여 조건에 맞는 수를 만드세요.

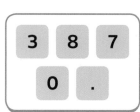

- **7**보다 작습니다.
- 이 소수를 **10**배하면 소수 첫째 자리 숫자는 **3**이 됩니다.
- 소수 셋째 자리 숫자는 소수 첫째 자리 숫자보다 작습니다.

4 ☐ 안에 알맞은 수를 쓰세요.

557 mm = ☐ cm = ☐ m

☐ mm = 365.7 cm = ☐ m

☐ mm = ☐ cm = 0.041 m

5 다음은 미형이와 친구들이 가진 막대 과자의 길이입니다. 길이가 긴 막대 과자를 가진 친구부터 차례로 이름을 쓰세요.

미형: 5.09 cm   진희: 0.051 m   수진: 52.3 mm
남순: 0.05 m   재원: 55 mm

☐ - ☐ - ☐ - ☐ - ☐

6 더 무거운 쪽에 ○표 하세요.

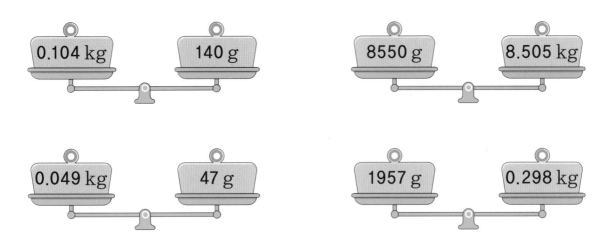

7 도서관에서 가까운 곳부터 차례로 쓰세요.

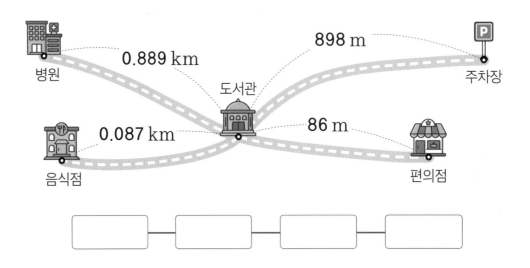

3주차

소수의
덧셈, 뺄셈 (1)

자릿수가 같은 소수의 덧셈, 뺄셈 알아보기

자릿수가 같은 소수의 덧셈

개념
원리

소수의 덧셈을 알아봅시다.

```
    0 . 3              1 . 3  6           5 . 7  7  6
+   0 . 5          +   0 . 9  1       +   1 . 1  7  5
  [0]. [8]            [2].[2][7]         [6].[9][5][1]
```

소수점의 자리를 맞추어 쓴 후 자연수의 덧셈과 같은 방법으로 계산하고 소수점을 그대로 내려 찍습니다.

```
    0 . 6              3 . 7  2           4 . 5  6  8
+   0 . 3          +   1 . 0  9       +   2 . 3  7  1
  [ ].[ ]            [ ].[ ][ ]         [ ].[ ][ ][ ]
```

```
    0 . 8              0 . 9  5           7 . 1  2  9
+   0 . 4          +   0 . 6  7       +   1 . 8  7  4
  [ ].[ ]            [ ].[ ][ ]         [ ].[ ][ ][ ]
```

```
    2 . 9              5 . 3  6           1 . 6  7  1
+   1 . 5          +   0 . 8  3       +   5 . 9  2  6
  [ ].[ ]            [ ].[ ][ ]         [ ].[ ][ ][ ]
```

```
    0 . 7
  + 0 . 2
```

```
    0 . 2
  + 0 . 3
```

```
    0 . 4
  + 0 . 9
```

```
    2 . 5 3
  + 0 . 9 8
```

```
    3 . 7 9
  + 0 . 3 6
```

```
    2 . 4 5
  + 1 . 1 8
```

```
    5 . 3 2 9
  + 1 . 8 1 5
```

```
    3 . 8 7 7
  + 2 . 4 9 6
```

```
    4 . 7 3 2
  + 2 . 4 6 9
```

1.2+1.4

2.9+3.2

2.48+3.85

3.74+5.79

0.349+1.658

4.567+1.234

1 □ 안에 알맞은 수를 쓰세요.

```
   3 . 7 8
 + 4 . 4 □
 ───────────
   □ . □ 1
```

```
   1 . □ 7
 + □ . 8 □
 ───────────
   3 . 2 6
```

```
   □ . 3 □
 + 3 . □ 7
 ───────────
   6 . 0 2
```

```
   3 . 5 □ 9
 + 3 . □ 7 □
 ─────────────
   □ . 0 2 3
```

```
   □ . 5 8 5
 + 5 . 9 □ 6
 ─────────────
   7 . □ 6 □
```

2 □ 안에 들어갈 수 있는 수를 모두 쓰세요.

3.38+5.6□ > 9.05

_____

3.□7+2.57 < 6.01

_____

1.797+4.366 < 6.1□2

_____

5.483+6.769 > 12.□51

_____

3 가장 큰 소수와 두 번째로 작은 소수의 합을 구하세요.

| 0.24 | 0.65 | 0.62 | 0.28 | 0.46 |

4 주어진 카드를 한 번씩 모두 사용하여 만들 수 있는 가장 큰 소수 두 자리 수와 가장 작은 소수 두 자리 수의 합을 구하세요.

2 7 5 .   8 6 4 .

5 두 수 ㉠과 ㉡의 합을 구하세요.

㉠ 0.01이 78인 수
㉡ 소수 첫째 자리 숫자가 5이고, 소수 둘째 자리 숫자가 7인
  1보다 작은 소수 두 자리 수

6 터널 앞까지 1.28 km, 터널 길이 0.94 km라고 쓰여 있는 교통 표지판 앞에 자동차가 서 있습니다. 터널을 지나려면 지금 있는 곳에서 몇 km를 가야 할까요?

식 _____   답 _____ km

자릿수가 같은 소수의 뺄셈

개념
원리

소수의 뺄셈을 알아봅시다.

```
    2 . 8              5 . 2 8            4 . 8 2 4
  - 0 . 9            - 0 . 4 5          - 1 . 3 7 2
  ┌─┐ ┌─┐            ┌─┐   ┌─┐          ┌─┐   ┌─┐┌─┐
  │1│.│9│            │4│. 8 │3│          │3│. 4 │5││2│
  └─┘ └─┘            └─┘   └─┘          └─┘   └─┘└─┘
```

소수점의 자리를 맞추어 쓴 후 자연수의 뺄셈과 같은 방법으로 계산하고 소수점을 그대로 내려 찍습니다.

```
    0 . 9              2 . 3 7            4 . 2 6 3
  - 0 . 4            - 0 . 8 1          - 3 . 9 4 5
  ┌─┐ ┌─┐            ┌─┐   ┌─┐          ┌─┐   ┌─┐┌─┐
  │ │.│ │            │ │. │ ││ │        │ │. │ ││ │
  └─┘ └─┘            └─┘   └─┘          └─┘   └─┘└─┘
```

```
    1 . 7              3 . 6 8            9 . 8 4 7
  - 0 . 8            - 2 . 1 9          - 6 . 8 7 5
  ┌─┐ ┌─┐            ┌─┐   ┌─┐          ┌─┐   ┌─┐┌─┐
  │ │.│ │            │ │. │ ││ │        │ │. │ ││ │
  └─┘ └─┘            └─┘   └─┘          └─┘   └─┘└─┘
```

```
    3 . 2              6 . 4 7            8 . 2 3 4
  - 1 . 6            - 5 . 9 8          - 4 . 7 1 9
  ┌─┐ ┌─┐            ┌─┐   ┌─┐          ┌─┐   ┌─┐┌─┐
  │ │.│ │            │ │. │ ││ │        │ │. │ ││ │
  └─┘ └─┘            └─┘   └─┘          └─┘   └─┘└─┘
```

```
    0 . 7              1 . 2              2 . 1
  - 0 . 2            - 0 . 9            - 1 . 4
```

```
    2 . 3 6            1 . 4 5            3 . 5 3
  - 0 . 8 9          - 0 . 1 8          - 2 . 9 4
```

```
    3 . 4 0 6          4 . 2 9 4          5 . 3 2 9
  - 0 . 9 2 3        - 2 . 7 6 7        - 1 . 8 1 5
```

1.3 − 0.9   2.5 − 1.8

7.45 − 2.79   5.62 − 1.75

8.394 − 5.728   6.845 − 3.746

1 □안에 알맞은 수를 쓰세요.

$$\begin{array}{r} 2\ .\ 1\ \ 3 \\ -\ \boxed{}\ .\ \boxed{}\ \ 9 \\ \hline 1\ .\ 2\ \ \boxed{} \end{array}$$

$$\begin{array}{r} 6\ .\ \boxed{}\ \ 9 \\ -\ 3\ .\ 7\ \ \boxed{} \\ \hline \boxed{}\ .\ 5\ \ 3 \end{array}$$

$$\begin{array}{r} \boxed{}\ .\ 9\ \ \boxed{} \\ -\ 1\ .\ \boxed{}\ \ 6 \\ \hline 3\ .\ 3\ \ 5 \end{array}$$

$$\begin{array}{r} \boxed{}\ .\ 4\ \ 5\ \ 6 \\ -\ 2\ .\ 9\ \ \boxed{}\ \ 3 \\ \hline 2\ .\ \boxed{}\ \ 7\ \ \boxed{} \end{array}$$

$$\begin{array}{r} 3\ .\ \boxed{}\ \ 8\ \ \boxed{} \\ -\ 0\ .\ 6\ \ \boxed{}\ \ 2 \\ \hline \boxed{}\ .\ 1\ \ 0\ \ 9 \end{array}$$

2 □안에 들어갈 수 있는 수를 모두 쓰세요.

$$7.2 - 3.8 < 3.\boxed{} < 4.1 - 0.3$$

_____

$$8.72 - 7.56 < 1.1\boxed{} < 6.18 - 4.99$$

_____

$$9.012 - 8.954 < 0.0\boxed{}7 < 1.048 - 0.961$$

_____

$$5.243 - 3.187 < 2.\boxed{}75 < 5.048 - 2.876$$

_____

3 주어진 수 카드를 한 번씩 모두 사용하여 만들 수 있는 가장 큰 소수 세 자리 수와 가장 작은 소수 세 자리 수의 차를 구하세요.

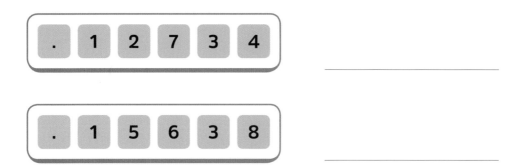

_____

_____

4 다음 중 두 수를 사용하여 차가 가장 큰 식과 차가 가장 작은 식을 만들고 계산하세요.

1.83	1.28
0.27	0.74

가장 큰 차: [　　] − [　　] = [　　]

가장 작은 차: [　　] − [　　] = [　　]

3.457	2.569
1.389	4.521

가장 큰 차: [　　] − [　　] = [　　]

가장 작은 차: [　　] − [　　] = [　　]

5 딸기가 들어 있는 바구니의 무게는 **1.457** kg이고, 빈 바구니의 무게는 **0.289** kg입니다. 바구니에 들어 있는 딸기의 무게는 몇 kg일까요?

 _____ 답 _____ kg

소수의 덧셈과 뺄셈 (1)

개념
원리

소수의 덧셈과 뺄셈을 알아봅시다.

$$\begin{array}{r} 0.7 \\ +\,0.8 \\ \hline \end{array}$$
➡
0.7 → 0.1이 | 7 |개
+0.8 → 0.1이 | 8 |개
0.1이 | 15 |개
➡
$$\begin{array}{r} 0.7 \\ +\,0.8 \\ \hline 1.5 \end{array}$$

$$\begin{array}{r} 3.42 \\ -\,0.85 \\ \hline \end{array}$$
➡
3.42 → 0.01이 | 342 |개
−0.85 → 0.01이 | 85 |개
0.01이 | 257 |개
➡
$$\begin{array}{r} 3.42 \\ -\,0.85 \\ \hline 2.57 \end{array}$$

$$\begin{array}{r} 2.75 \\ +\,3.81 \\ \hline \end{array}$$
➡
2.75 → 0.01이 | |개
+3.81 → 0.01이 | |개
0.01이 | |개
➡
$$\begin{array}{r} 2.75 \\ +\,3.81 \\ \hline \end{array}$$

$$\begin{array}{r} 0.805 \\ -\,0.241 \\ \hline \end{array}$$
➡
0.805 → 0.001이 | |개
−0.241 → 0.001이 | |개
0.001이 | |개
➡
$$\begin{array}{r} 0.805 \\ -\,0.241 \\ \hline \end{array}$$

```
  0 . 6              1 . 5              2 . 7
+ 0 . 9            - 0 . 8            + 4 . 4
─────────          ─────────          ─────────


  6 . 1 7            0 . 3 8            7 . 0 2
- 4 . 4 9          + 1 . 5 7          - 0 . 6 5
─────────          ─────────          ─────────


  9 . 7 4 6          7 . 1 0 2          6 . 5 7 5
+ 2 . 3 8 5        - 2 . 6 4 3        + 1 . 8 4 9
───────────        ───────────        ───────────
```

2.6+3.8   4.1−1.2

4.74+0.97   3.02−2.76

2.062+6.687   5.381−2.409

1 계산 결과가 같은 것끼리 선으로 이으세요.

0.8+0.7		1.6+0.6
1.2+0.6		2.3−0.8
4.1−1.9		0.9+0.9

2 주어진 수를 한 번씩 모두 사용하여 모두 식을 완성하세요.

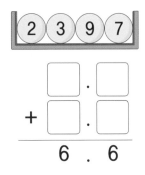

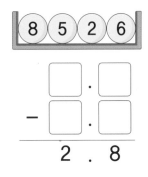

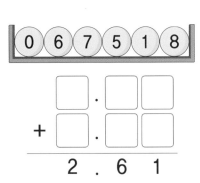

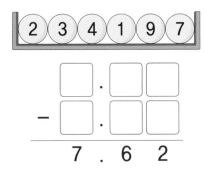

3 수 카드를 한 번씩 모두 사용하여 만들 수 있는 1 보다 작은 소수 두 자리 수 두 개의 합과 차를 구하세요.

소수의 합: _____

소수의 차: _____

소수의 합: _____

소수의 차: _____

4 ☐ 안에 알맞은 수를 쓰세요.

$0.56 + 0.6\boxed{} = 1.\boxed{}4$

$4.\boxed{}8 - 2.49 = 1.8\boxed{}$

5 정민이의 몸무게는 41.35 kg이고, 승호는 정민이보다 2.39 kg이 가볍습니다. 물음에 답하세요.

승호의 몸무게는 몇 kg일까요?

식 _____   답 _____ kg

두 친구의 몸무게의 합은 몇 kg일까요?

식 _____   답 _____ kg

세 소수의 계산 (1)

개념
원리

세 소수의 계산을 알아봅시다.

$0.15 + 0.48 - 0.09 =$ | 0.54 |

```
  0 . 1 5          →  0 . 6 3
+ 0 . 4 8          - 0 . 0 9
  0 . 6 3 ┄┄┄┄┄┄┄    0 . 5 4
```

세 소수의 계산은 앞에서부터 차례대로 계산합니다.

$0.6 + 1.7 + 0.8 =$ | |

```
  0 . 6          →  [     ]
+ 1 . 7          + 0 . 8
[     ] ┄┄┄┄┄┄┄    [     ]
```

$1.48 + 0.76 - 0.93 =$ | |

```
  1 . 4 8          →  [     ]
+ 0 . 7 6          - 0 . 9 3
[     ] ┄┄┄┄┄┄┄      [     ]
```

$3.54 - 0.68 - 1.94 =$ | |

```
  3 . 5 4          →  [     ]
- 0 . 6 8          - 1 . 9 4
[     ] ┄┄┄┄┄┄┄      [     ]
```

2.3+0.8+0.3

1.43+0.36+1.55

1.9+0.7−1.1

3.45+5.29−2.38

1.5−1.4+0.7

5.16−1.25+0.81

2.1−1.5−0.2

1.03−0.14−0.63

1.3+0.8+0.3

0.27+0.45+1.49

6.5+1.7−2.4

0.77+0.35−0.81

3.1−1.8+1.5

1.22−0.45+0.32

2.5−0.9−1.4

3.61−1.44−0.86

1 빈칸에 알맞은 수를 쓰세요.

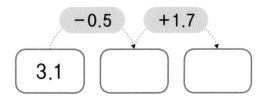

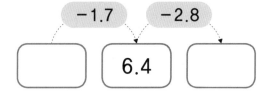

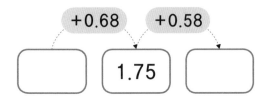

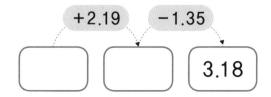

2 색칠한 막대의 길이를 구하세요.

6.9 cm		2.8 cm
2.5 cm		

☐ cm

5.6 cm	6.1 cm	2.4 cm

☐ cm

8.3 cm		
2.5 cm		

0.8 cm

☐ cm

7.82 cm		3.78 cm
		5.46 cm

☐ cm

3 3부터 8까지의 수를 한 번씩 모두 사용하여 계산 결과가 가장 큰 식을 만들고, 계산하세요.

$\boxed{}.\boxed{}-\boxed{}.\boxed{}+\boxed{}.\boxed{}=\boxed{}$

4 0.58과 0.39의 합에서 어떤 수를 뺐더니 0.18이 되었습니다. 어떤 수를 $\boxed{}$라 하여 식을 세우고 $\boxed{}$의 값을 구하세요.

식 _____ $\boxed{}=$ _____

5 현수와 미형이가 집에서 학교를 갑니다. 현수네 집에서 학교까지의 거리는 2.17 km입니다. 미형이는 집에서 1.48 km 떨어져 있는 문구점을 지나 문구점에서 1.35 km 떨어져 있는 학교에 가려고 합니다. 미형이는 현수보다 몇 km를 더 가야 할까요?

식 _____   답 _____ km

6 설탕 2.21 kg이 있습니다. 그중 0.79 kg으로 초콜릿을 만들고, 0.63 kg으로 사탕을 만든다면 남는 설탕은 몇 kg일까요?

식 _____   답 _____ kg

1 □ 안에 알맞은 수를 쓰세요.

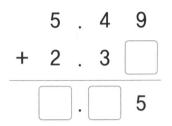

$$
\begin{array}{r}
5.4\,9 \\
+\ 2.3\,\square \\
\hline
\square\,.\,\square\,5
\end{array}
$$

$$
\begin{array}{r}
3.\square\,5 \\
+\ \square\,.\,2\,\square \\
\hline
8.7\,3
\end{array}
$$

$$
\begin{array}{r}
2.1\,\square\,5 \\
+\ 1.\square\,7\,\square \\
\hline
\square\,.\,6\,7\,1
\end{array}
$$

$$
\begin{array}{r}
\square\,.\,3\,4\,2 \\
+\ 0.7\,\square\,9 \\
\hline
2.\square\,3\,\square
\end{array}
$$

2 두 수 ㉠과 ㉡의 합을 구하세요.

> ㉠ 0.01이 138인 수
> ㉡ 소수 첫째 자리 숫자가 8이고, 소수 둘째 자리 숫자가 5인
>   1보다 작은 소수 두 자리 수

_____

3 주어진 수 카드를 한 번씩 모두 사용하여 만들 수 있는 가장 큰 소수 세 자리 수와 가장 작은 소수 세 자리 수의 차를 구하세요.

| . | 2 | 6 | 5 | 4 | 3 |

_____

4 다음 중 두 수를 사용하여 차가 가장 큰 식과 차가 가장 작은 식을 만들고 계산하세요.

| 3.25 | 4.76 |
| 3.97 | 2.78 |

가장 큰 차: ☐ − ☐ = ☐

가장 작은 차: ☐ − ☐ = ☐

| 0.456 | 1.518 |
| 2.397 | 3.424 |

가장 큰 차: ☐ − ☐ = ☐

가장 작은 차: ☐ − ☐ = ☐

5 계산 결과가 같은 것끼리 선으로 이으세요.

| 0.72 + 0.54 |
| 3.25 − 1.91 |
| 1.84 − 0.66 |

| 0.27 + 1.07 |
| 2.64 − 1.46 |
| 0.93 + 0.33 |

6 수 카드를 한 번씩 모두 사용하여 만들 수 있는 1보다 작은 소수 두 자리 수 두 개의 합과 차를 구하세요.

| . | 6 |
| 7 | 0 |

소수의 합: _____

소수의 차: _____

| . | 3 |
| 0 | 5 |

소수의 합: _____

소수의 차: _____

7 1부터 6까지의 수를 한 번씩 모두 사용하여 계산한 값이 가장 작은 식을 만들고 계산하세요.

$$\boxed{}.\boxed{}+\boxed{}.\boxed{}-\boxed{}.\boxed{}=\boxed{}$$

8 1.84와 0.77의 합에서 어떤 수를 뺐더니 0.69가 되었습니다. 어떤 수를 $\boxed{}$라 하여 식을 세우고 $\boxed{}$의 값을 구하세요.

식 _____ $\boxed{}=$ _____

9 물 3.65 L가 있습니다. 두 친구가 각각 1.87 L, 0.64 L씩 마신다면 남는 물은 몇 L일까요?

식 _____   답 _____ L

4주차

소수의
덧셈, 뺄셈 (2)

자릿수가 다른 소수의 덧셈, 뺄셈 알아보기

자릿수가 다른 소수의 덧셈

개념
원리

자릿수가 다른 소수의 덧셈을 알아봅시다.

$2.82 + 0.7 =$ 3.52

```
    2 . 8 2
  + 0 . 7 0
    3 . 5 2
```

$3.9 + 1.248 =$ 5.148

```
    3 . 9 0 0
  + 1 . 2 4 8
    5 . 1 4 8
```

소수점 아래 자릿수가 다른 소수의 덧셈을 할 때에는 끝자리 뒤에 0이 있는 것으로 생각하여 자릿수를 맞추어 더합니다.

$1.9 + 3.25 =$ ☐

```
    1 . 9 0
  + 3 . 2 5
    ☐ . ☐ ☐
```

$6.095 + 3.26 =$ ☐

```
    6 . 0 9 5
  + 3 . 2 6 0
    ☐ . ☐ ☐ ☐
```

$1.88 + 1.3 =$ ☐

```
    1 . 8 8
  + 1 . 3 0
    ☐ . ☐ ☐
```

$4.846 + 1.2 =$ ☐

```
    4 . 8 4 6
  + 1 . 2 0 0
    ☐ . ☐ ☐ ☐
```

3.7+4.35

6.395+1.7

2.61+1.3

4.172+2.49

3.48+1.987

3.6+0.448

7.6+1.56

3.29+1.876

2.912+4.4

3.33+7.2

1.5+4.03

5.08+2.775

6.994+2.6

7.53+1.7

3.87+2.975

3.7+5.552

1  안에 알맞은 수를 찾고 덧셈을 하여 빈칸을 채우세요.

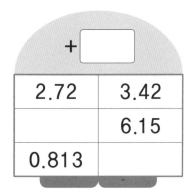

+ [ ]	
2.72	3.42
	6.15
0.813	

+ [ ]	
	1.327
0.87	
4.089	4.129

+ [ ]	
1.185	
3.835	4.335
	2.16

2 주어진 소수 카드 중 3장을 사용하여 덧셈식을 완성하세요.

6.1	6.08	0.89
	6.98	0.9

[ ] + [ ] = [ ]

4.86	0.16	0.26
	4.9	4.7

[ ] + [ ] = [ ]

3.33	2.9	7.13
	3.8	4.33

[ ] + [ ] = [ ]

3 두 수 ㉠과 ㉡의 합을 구하세요.

> ㉠ 0.1이 12개, 0.01이 35개인 수
> ㉡ 0.01이 23개, 0.001이 39개인 수

_____

> ㉠ 0.1이 23개, 0.01이 84개인 수
> ㉡ 0.01이 54개, 0.001이 179개인 수

_____

4 □ 안에 알맞은 수를 쓰세요.

$2.\boxed{}+\boxed{}.67=6.1\boxed{}$ $3.\boxed{}9+\boxed{}.4=5.2\boxed{}$

5 집에서 버스 정류장까지의 거리는 380 m이고, 버스 정류장에서 학교까지의 거리는 1.829 km 입니다. 집에서 버스 정류장을 지나 학교까지 오는 거리는 모두 몇 km일까요?

식 _____   답 _____ km

자릿수가 다른 소수의 뺄셈

개념
원리

자릿수가 다른 소수의 뺄셈을 알아봅시다.

$3.25 - 1.9 = \boxed{1.35}$

```
    3 . 2   5
 −  1 . 9   0
  ┌─┐ ┌─┐ ┌─┐
  │1│.│3│ │5│
  └─┘ └─┘ └─┘
```

$5.07 - 2.208 = \boxed{2.862}$

```
    5 . 0   7   0
 −  2 . 2   0   8
  ┌─┐ ┌─┐ ┌─┐ ┌─┐
  │2│.│8│ │6│ │2│
  └─┘ └─┘ └─┘ └─┘
```

소수점 아래 자릿수가 다른 소수의 뺄셈을 할 때에는 끝자리 뒤에 0이 있는 것으로 생각하여 자릿수를 맞추어 뺍니다.

$2.2 - 1.87 = \boxed{}$

```
    2 . 2   0
 −  1 . 8   7
  ┌─┐ ┌─┐ ┌─┐
  │ │.│ │ │ │
  └─┘ └─┘ └─┘
```

$4.508 - 1.68 = \boxed{}$

```
    4 . 5   0   8
 −  1 . 6   8   0
  ┌─┐ ┌─┐ ┌─┐ ┌─┐
  │ │.│ │ │ │ │ │
  └─┘ └─┘ └─┘ └─┘
```

$1.15 - 0.3 = \boxed{}$

```
    1 . 1   5
 −  0 . 3   0
  ┌─┐ ┌─┐ ┌─┐
  │ │.│ │ │ │
  └─┘ └─┘ └─┘
```

$7.4 - 3.766 = \boxed{}$

```
    7 . 4   0   0
 −  3 . 7   6   6
  ┌─┐ ┌─┐ ┌─┐ ┌─┐
  │ │.│ │ │ │ │ │
  └─┘ └─┘ └─┘ └─┘
```

4.5 − 1.876

3.35 − 1.238

5.3 − 1.26

2.45 − 1.8

1.776 − 0.9

6.53 − 4.213

9.76 − 5.432

8.8 − 1.35

10.4 − 7.53

1.05 − 0.6

9.12 − 8.8

6.453 − 3.7

7.5 − 1.231

5.23 − 1.475

3.446 − 0.28

2.37 − 0.5

1 안에 알맞은 수를 찾고 뺄셈을 하여 빈칸을 채우세요.

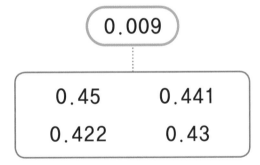

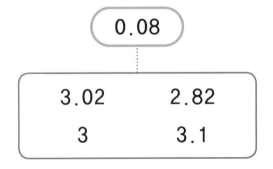

−	
5.24	
	3.921
3.19	2.59

−	
1.028	0.938
	0.791
3.345	

−	
	0.445
3.33	3.325
	5.286

2 안의 수가 차가 되는 두 수를 찾아 ◯표 하세요.

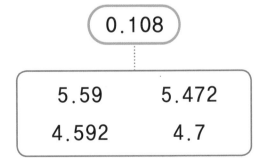

0.009

| 0.45 | 0.441 |
| 0.422 | 0.43 |

0.08

| 3.02 | 2.82 |
| 3 | 3.1 |

0.108

| 5.59 | 5.472 |
| 4.592 | 4.7 |

1.75

| 4.1 | 3.35 |
| 2.55 | 1.6 |

3 다음 계산에서 잘못된 곳을 찾아 바르게 계산하세요.

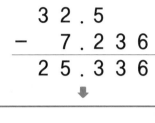

4 ☐ 안에 알맞은 수를 모두 쓰세요.

$$1.174 - 0.76 > 0.\boxed{}23$$

_____

$$4.5 - 1.175 > 3.3\boxed{}4$$

_____

5 500원짜리 동전은 7.7 g이고, 100원짜리 동전은 5.42 g이라고 합니다. 500원짜리 동전은 100원짜리 동전보다 몇 g 더 무거울까요?

 식 _____ 답 _____ g

소수의 덧셈과 뺄셈 (2)

개념
원리

소수의 덧셈과 뺄셈을 알아봅시다.

$\begin{array}{r} 1.7 \\ +0.28 \\ \hline \end{array}$ ➡

1.7 → 0.01이 [170] 개

+0.28 → 0.01이 [28] 개
―――――――――――
0.01이 [198] 개

➡ $\begin{array}{r} 1.7 \\ +0.28 \\ \hline [1.98] \end{array}$

$\begin{array}{r} 3.202 \\ -1.38 \\ \hline \end{array}$ ➡

3.202 → 0.001이 [3202] 개

−1.38 → 0.001이 [1380] 개
―――――――――――
0.001이 [1822] 개

➡ $\begin{array}{r} 3.202 \\ -1.38 \\ \hline [1.822] \end{array}$

$\begin{array}{r} 0.508 \\ +0.29 \\ \hline \end{array}$ ➡

0.508 → 0.001이 [ ] 개

+0.29 → 0.001이 [ ] 개
―――――――――――
0.001이 [ ] 개

➡ $\begin{array}{r} 0.508 \\ +0.29 \\ \hline [\quad] \end{array}$

$\begin{array}{r} 7.29 \\ -3.109 \\ \hline \end{array}$ ➡

7.29 → 0.001이 [ ] 개

−3.109 → 0.001이 [ ] 개
―――――――――――
0.001이 [ ] 개

➡ $\begin{array}{r} 7.29 \\ -3.109 \\ \hline [\quad] \end{array}$

```
    3 . 7 5              1 . 2              1 . 8 4 3
  + 0 . 3              - 0 . 4 6          + 2 . 5 3
  _____          _____        _____


    5 . 2 3 4            6 . 3 7 5            3 . 4
  - 3 . 1 9            + 1 . 8            - 0 . 9 8 3
  _____          _____        _____


    1 . 4                4 . 1 9              7 . 1 6
  + 2 . 9 5            - 3 . 7            + 2 . 8 7 5
  _____          _____        _____
```

4.55+2.7   8.67−5.8

6.9+4.778   3.1−1.85

0.765+7.59   5.43−3.297

1 빈칸에 알맞은 수를 쓰세요.

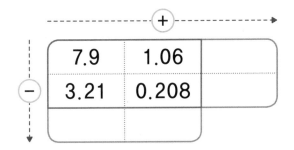

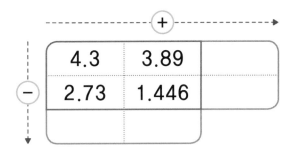

2 어떤 수를 구하고 바르게 계산하세요.

어떤 수에서 **2.87**을 빼야 할 것을 잘못하여 더했더니 **7.654**가 되었습니다.

어떤 수: _____   바르게 계산하기: _____

어떤 수에 **1.17**을 더해야 할 것을 잘못하여 뺐더니 **5.435**가 되었습니다.

어떤 수: _____   바르게 계산하기: _____

어떤 수에서 **3.9**를 빼야 할 것을 잘못하여 더했더니 **10.738**이 되었습니다.

어떤 수: _____   바르게 계산하기: _____

3   ☐ 안에 알맞은 수를 쓰세요.

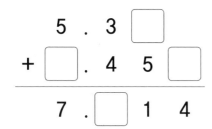

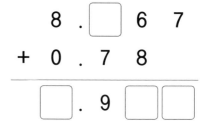

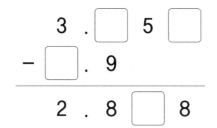

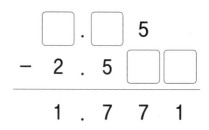

4   지수와 동생이 같이 초콜릿을 만듭니다. 지수는 초콜릿을 **7.42** g 만들고, 동생은 지수보다 **2.478** g 더 많이 만들었습니다. 동생이 만든 초콜릿은 몇 g일까요?

식 _____   답 _____ g

5   수미는 집에서 학교까지 걸어가려고 합니다. 집에서 학교까지의 거리는 **1.34** km이고, 현재 수미가 **0.963** km 걸어왔다면 앞으로 몇 km를 더 가야 할까요?

식 _____   답 _____ km

세 소수의 계산 (2)

개념
원리

세 소수의 계산을 알아봅시다.

$$4.5 - 1.25 + 0.248$$
$$= \boxed{3.498}$$

$$
\begin{array}{r}
4\ .\ 5 \\
-\ 1\ .\ 2\ 5 \\
\hline
\boxed{3\ .\ 2\ 5}
\end{array}
$$

$$
\begin{array}{r}
\boxed{3\ .\ 2\ 5} \\
+\ 0\ .\ 2\ 4\ 8 \\
\hline
\boxed{3\ .\ 4\ 9\ 8}
\end{array}
$$

세 소수의 계산은 앞에서부터 차례대로 계산합니다.

$$2.3 + 1.47 + 0.489$$
$$= \boxed{}$$

$$
\begin{array}{r}
2\ .\ 3 \\
+\ 1\ .\ 4\ 7 \\
\hline
\boxed{}
\end{array}
$$

$$
\begin{array}{r}
\boxed{} \\
+\ 0\ .\ 4\ 8\ 9 \\
\hline
\boxed{}
\end{array}
$$

$$5.08 + 1.531 - 2.7$$
$$= \boxed{}$$

$$
\begin{array}{r}
5\ .\ 0\ 8 \\
+\ 1\ .\ 5\ 3\ 1 \\
\hline
\boxed{}
\end{array}
$$

$$
\begin{array}{r}
\boxed{} \\
-\ 2\ .\ 7 \\
\hline
\boxed{}
\end{array}
$$

$$3.33 - 1.5 - 0.685$$
$$= \boxed{}$$

$$
\begin{array}{r}
3\ .\ 3\ 3 \\
-\ 1\ .\ 5 \\
\hline
\boxed{}
\end{array}
$$

$$
\begin{array}{r}
\boxed{} \\
-\ 0\ .\ 6\ 8\ 5 \\
\hline
\boxed{}
\end{array}
$$

0.6+0.95+1.2

2.79+3.5+1.087

3.4+1.12−0.768

1.12+7.9−4.512

5.587−3.9+2.63

4.32−1.8+6.542

6.54−3.972−1.5

2.42−1.7−0.009

5.9+1.283+2.03

3.11−2.9+1.695

7.954+0.8−7.71

5.4+2.56−4.119

6.238−5.3+1.07

3.39−0.927+1.6

4.8−1.26−1.345

4.582−2.76−1.2

1 계산 결과에 맞게 길을 그리세요.

3.123 ── +0.68 / +0.69 ── −0.8 / −0.9 ── = 2.913

7.65 ── −0.028 / −0.024 ── +0.09 / +0.07 ── = 7.716

2.915 ── −0.05 / −0.06 ── −0.017 / −0.019 ── = 2.848

2 ○안에 + 또는 − 를 넣으세요.

6.815 ◯ 0.55 ◯ 1.4 = 5.965

2.53 ◯ 0.416 ◯ 0.2 = 1.914

3.77 ◯ 2.128 ◯ 1.9 = 7.798

1.87 ◯ 0.653 ◯ 3.9 = 5.117

3 가장 큰 수와 가장 작은 수의 합에서 나머지 수를 뺀 값을 구하세요.

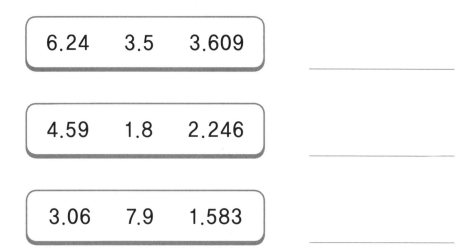

| 6.24 | 3.5 | 3.609 |

_____

| 4.59 | 1.8 | 2.246 |

_____

| 3.06 | 7.9 | 1.583 |

_____

4 물통에 물 **1.5** L가 있었습니다. 그중에서 **0.476** L는 마시고, 물통에 물 **0.29** L를 더 넣었습니다. 현재 물통에 있는 물은 몇 L일까요?

식 _____   답 _____ L

5 나영이는 학교에서 출발하여 서점과 문구점을 지나 도서관에 갑니다. 학교에서 도서관까지의 거리는 **5.58** km, 학교와 문구점의 거리는 **3985** m, 도서관과 서점과의 거리는 **3.4** km입니다. 서점과 문구점은 몇 km 떨어져 있을까요?

식 _____   답 _____ km

1 □ 안에 알맞은 수를 찾고 덧셈을 하여 빈칸을 채우세요.

+ [ ]	
3.26	3.56
	4.67
1.283	

+ [ ]	
	3.18
1.176	
3.642	4.542

+ [ ]	
5.563	
3.356	3.396
	4.907

2 □ 안에 알맞은 수를 쓰세요.

$\boxed{}.472 + 6.3\boxed{} = 7.\boxed{}22$ $3.5\boxed{} + \boxed{}.\boxed{}57 = 6.04\boxed{}$

3 ⬭ 안의 수가 차가 되는 두 수를 찾아 ○표 하세요.

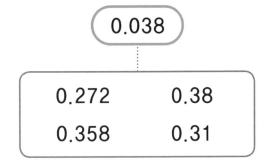

4 다음 계산에서 잘못된 곳을 찾아 바르게 계산하세요.

```
  1 3 . 9
-  6 . 4 5 7
  7 . 5 5 7
```

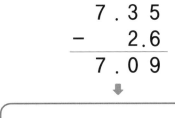

```
  7 . 3 5
-   2 . 6
  7 . 0 9
```

5 빈칸에 알맞은 수를 쓰세요.

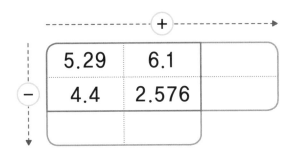

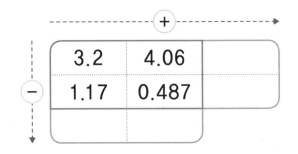

6 ☐ 안에 알맞은 수를 쓰세요.

```
  0 . ☐ ☐ 1
+ 2 . 3 5
  ☐ . 3 3 ☐
```

```
  1 . ☐ 5
- 0 . 0 ☐ ☐
  ☐ . 1 8 7
```

7 계산 결과에 맞게 길을 그리세요.

```
         +0.5      +0.07
4.89                        = 5.36
         +0.4      +0.06
```

```
                  +0.37    −0.4
         1.728                     = 1.598
                  +0.39    −0.5
```

```
         −0.014   +0.04
7.7                          = 7.726
         −0.013   +0.06
```

8 ◯ 안에 **+** 또는 **−** 를 넣으세요.

$$3.6 \bigcirc 1.47 \bigcirc 0.016 = 2.114$$

$$5.79 \bigcirc 0.4 \bigcirc 0.325 = 5.865$$

$$4.487 \bigcirc 3.5 \bigcirc 2.96 = 3.947$$

$$1.972 \bigcirc 0.07 \bigcirc 0.6 = 2.642$$

상위권으로 가는 문제 해결 연산 학습지

정답

응용 연산

D2
초4~초5

소수의 덧셈, 뺄셈

Creative to Math
씨투엠

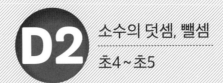

D2

소수의 덧셈, 뺄셈
초4 ~ 초5

정답 및 길잡이

소수 두·세 자리 수

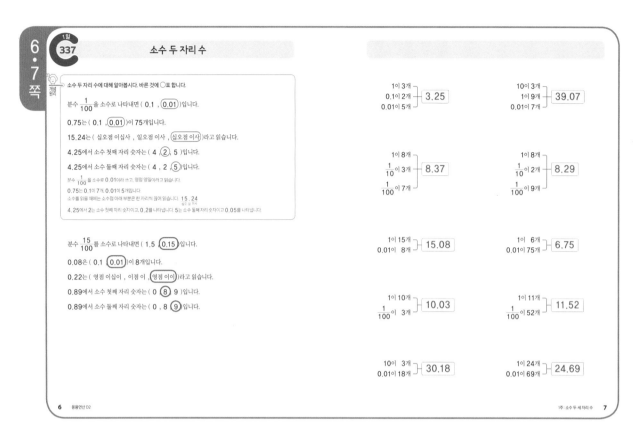

응용연산

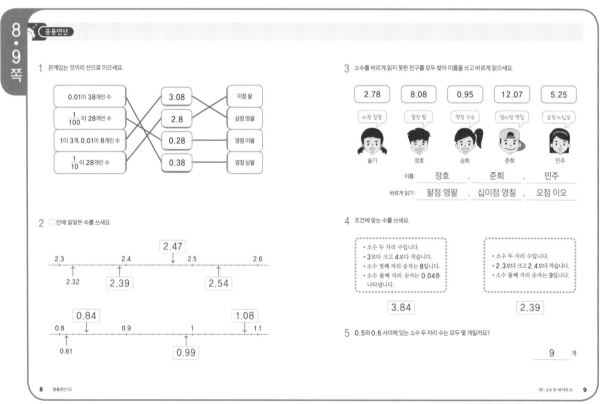

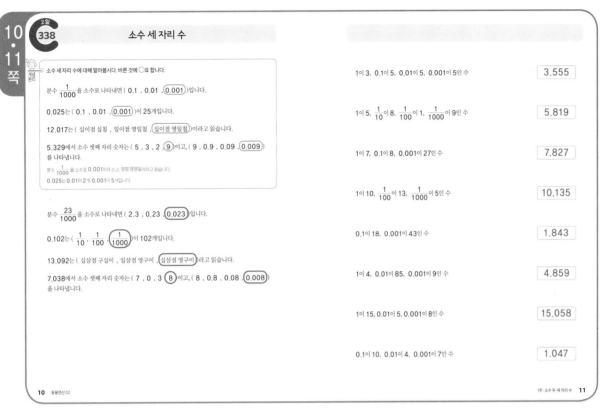

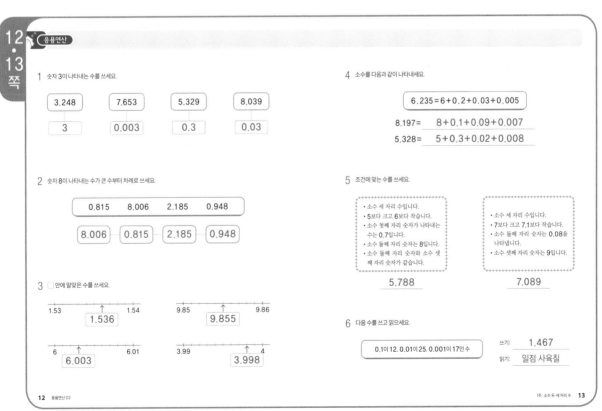

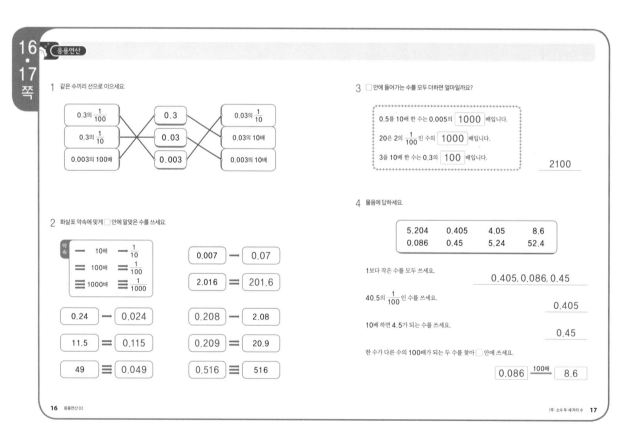

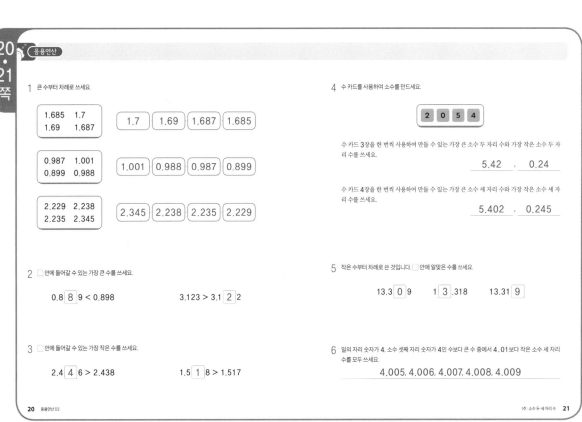

340 소수의 크기 비교

소수의 크기를 비교하여 봅시다.

4.15 > 3.82 자연수 부분이 큰 쪽이 더 큽니다.

8.59 < 8.6 자연수 부분이 같으면 소수 첫째 자리 숫자의 크기를 비교합니다.

2.76 < 2.79 소수 첫째 자리 숫자가 같으면 소수 둘째 자리 숫자의 크기를 비교합니다.

0.378 > 0.374 소수 둘째 자리 숫자가 같으면 소수 셋째 자리 숫자의 크기를 비교합니다.

13.39 < 13.41   1.61 > 1.52   0.541 > 0.498

6.49 > 6.48   0.12 > 0.119   2.34 > 2.31

7.757 < 7.758   1.425 < 1.427   0.987 < 0.988

0.428 < 0.436   27.76 > 27.66   3.785 > 3.783

크기에 맞는 소수를 찾아 ☐ 안에 쓰세요.

4.35   5.21   6.43
↓   ↓   ↓
4.2   5.3   6.2

5.21   5.39   6.43   4.35   4.18

1.898   2.041   2.151
  ↓   ↓   ↓
 1.95   2.07   2.14

1.956   2.041   1.898   2.151   1.978

3.33   3.79   4.28
 ↓   ↓   ↓
3.19   3.89   4.12

3.33   4.09   3.79   4.28   3.56

0.799 0.828   0.902
  ↓   ↓   ↓
0.778   0.869 0.892

0.678   0.902   0.828   0.89   0.799

응용연산

1 큰 수부터 차례로 쓰세요.

| 1.685 | 1.7 |
| 1.69 | 1.687 |

1.7   1.69   1.687   1.685

| 0.987 | 1.001 |
| 0.899 | 0.988 |

1.001   0.988   0.987   0.899

| 2.229 | 2.238 |
| 2.235 | 2.345 |

2.345   2.238   2.235   2.229

2 ☐ 안에 들어갈 수 있는 가장 큰 수를 쓰세요.

0.8 [8] 9 < 0.898   3.123 > 3.1 [2] 2

3 ☐ 안에 들어갈 수 있는 가장 작은 수를 쓰세요.

2.4 [4] 6 > 2.438   1.5 [1] 8 > 1.517

4 수 카드를 사용하여 소수를 만드세요.

2 0 5 4

수 카드 3장을 한 번씩 사용하여 만들 수 있는 가장 큰 소수 두 자리 수와 가장 작은 소수 두 자리 수를 쓰세요.
5.42 , 0.24

수 카드 4장을 한 번씩 사용하여 만들 수 있는 가장 큰 소수 세 자리 수와 가장 작은 소수 세 자리 수를 쓰세요.
5.402 , 0.245

5 작은 수부터 차례로 쓴 것입니다. ☐ 안에 알맞은 수를 쓰세요.

13.3 [0] 9   1 [3] .318   13.31 [9]

6 일의 자리 숫자가 4, 소수 셋째 자리 숫자가 4인 수보다 큰 수 중에서 4.01보다 작은 소수 세 자리 수를 모두 쓰세요.
4.005, 4.006, 4.007, 4.008, 4.009

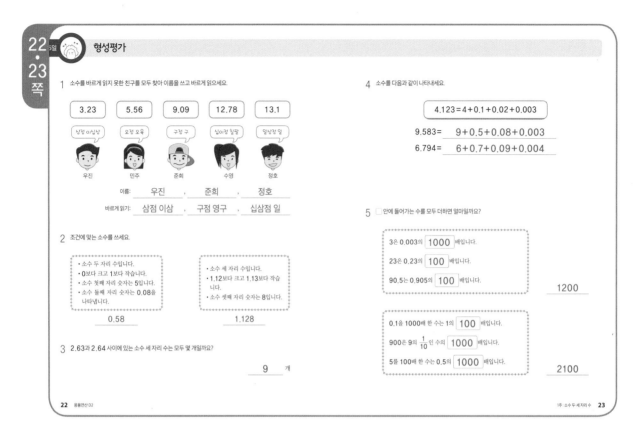

22·23쪽

1 소수를 바르게 읽지 못한 친구를 모두 찾아 이름을 쓰고 바르게 읽으세요.

| 3.23 | 5.56 | 9.09 | 12.78 | 13.1 |

삼점 이삼삼 / 오점 오육 / 구점 구 / 십이점 칠팔 / 일삼점 일

우진 / 민주 / 준희 / 수영 / 정호

이름: 우진 , 준희 , 정호

바르게 읽기: 삼점 이삼 , 구점 영구 , 십삼점 일

2 조건에 맞는 소수를 쓰세요.

- 소수 두 자리 수입니다.
- 0보다 크고 1보다 작습니다.
- 소수 첫째 자리 숫자는 5입니다.
- 소수 둘째 자리 숫자는 0.08을 나타냅니다.

0.58

- 소수 세 자리 수입니다.
- 1.12보다 크고 1.13보다 작습니다.
- 소수 셋째 자리 숫자는 8입니다.

1.128

3 2.63과 2.64 사이에 있는 소수 세 자리 수는 모두 몇 개일까요?

9 개

4 소수를 다음과 같이 나타내세요.

| 4.123 = 4 + 0.1 + 0.02 + 0.003 |

9.583 = 9 + 0.5 + 0.08 + 0.003

6.794 = 6 + 0.7 + 0.09 + 0.004

5 ☐ 안에 들어가는 수를 모두 더하면 얼마일까요?

3은 0.003의 **1000** 배입니다.

23은 0.23의 **100** 배입니다.

90.5는 0.905의 **100** 배입니다.

1200

0.1을 1000배 한 수는 1의 **100** 배입니다.

900은 9의 $\frac{1}{10}$ 인 수의 **1000** 배입니다.

5를 100배 한 수는 0.5의 **1000** 배입니다.

2100

24쪽

6 수를 보고 물음에 답하세요.

| 12.3 | 2.02 | 0.07 | 0.707 |
| 2.22 | 7.07 | 1.245 | 0.123 |

70.7의 $\frac{1}{100}$ 인 수를 쓰세요.

0.707

1000배를 했을 때 123이 되는 수를 쓰세요.

0.123

한 수가 다른 수의 10배가 되는 두 수를 찾아 ☐ 안에 쓰세요.

0.707 ―10배→ 7.07

7 ☐ 안에 들어갈 수 있는 가장 작은 수를 쓰세요.

3.5 **4** 3 > 3.538

0.1 **6** 9 > 0.162

8 ☐ 안에 들어갈 수 있는 가장 큰 수를 쓰세요.

2.222 > 2.2 **1** 3

1.689 > 1.6 **8** 7

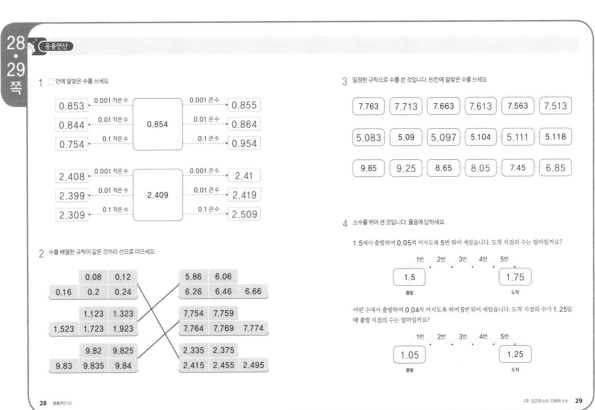

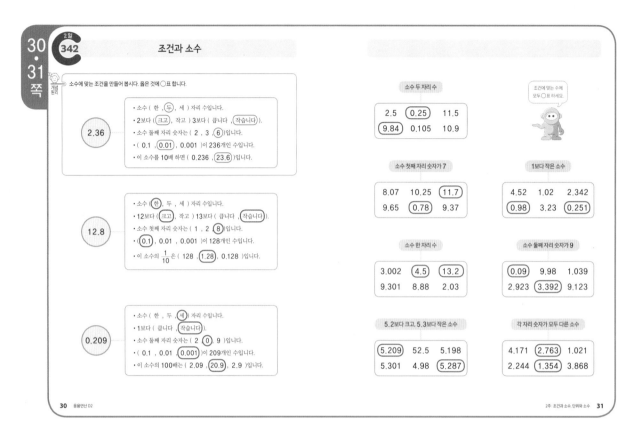

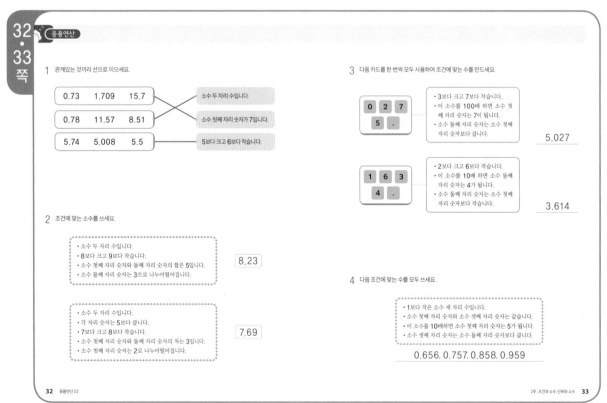

길이와 단위

mm, cm, m 사이의 관계를 알아봅시다.

$$1 \text{ cm} = 10 \text{ mm} \Rightarrow 1 \text{ mm} = \boxed{0.1} \text{ cm}$$

$$1 \text{ m} = 100 \text{ cm} \Rightarrow 1 \text{ cm} = \boxed{0.01} \text{ m}$$

$$1 \text{ m} = 1000 \text{ mm} \Rightarrow 1 \text{ mm} = \boxed{0.001} \text{ m}$$

1 m는 100 cm, 1 cm는 10 mm이므로 1 m는 1000 mm입니다.
1 mm는 0.1 cm, 1 cm는 0.01 m이므로 1 mm는 0.001 m입니다.

3 cm = 30 mm ⇒ 3 mm = $\boxed{0.3}$ cm

5 m = 500 cm ⇒ 5 cm = $\boxed{0.05}$ m

2 m = 2000 mm ⇒ 2 mm = $\boxed{0.002}$ m

4 cm = 40 mm ⇒ 4 mm = $\boxed{0.4}$ cm

8 m = 800 cm ⇒ 8 cm = $\boxed{0.08}$ m

6 m = 6000 mm ⇒ 6 mm = $\boxed{0.006}$ m

15 cm = 150 mm ⇒ 15 mm = $\boxed{1.5}$ cm

27 m = 2700 cm ⇒ 27 cm = $\boxed{0.27}$ m

19 m = 19000 mm ⇒ 19 mm = $\boxed{0.019}$ m

5 mm = $\boxed{0.5}$ cm   48 mm = $\boxed{4.8}$ cm

1.8 cm = $\boxed{18}$ mm   0.96 cm = $\boxed{9.6}$ mm

240 cm = $\boxed{2.4}$ m   763.7 cm = $\boxed{7.637}$ m

0.432 m = $\boxed{43.2}$ cm   0.12 m = $\boxed{12}$ cm

695 mm = $\boxed{0.695}$ m   50 mm = $\boxed{0.05}$ m

0.37 m = $\boxed{370}$ mm   1.092 m = $\boxed{1092}$ mm

824.4 mm = $\boxed{82.44}$ cm   754 cm = $\boxed{7.54}$ m

0.061 cm = $\boxed{0.61}$ mm   0.7 m = $\boxed{70}$ cm

1 관계있는 것끼리 선으로 이으세요.

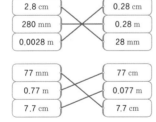

2.8 cm — 0.28 cm
280 mm — 0.28 m
0.0028 m — 28 mm

77 mm — 77 cm
0.77 m — 0.077 m
7.7 cm — 7.7 mm

3 ☐ 안에 알맞은 수를 쓰세요.

13 mm = $\boxed{1.3}$ cm = $\boxed{0.013}$ m

$\boxed{0.023}$ m = 2.3 cm = $\boxed{23}$ mm

$\boxed{1158}$ mm = 115.8 cm = $\boxed{1.158}$ m

$\boxed{284}$ mm = $\boxed{28.4}$ cm = 0.284 m

4 영주가 가진 색 테이프는 0.49 m, 보미가 가진 색 테이프는 48.5 cm입니다. 누구의 색 테이프가 더 길까요?

영주

5 다음은 현식이와 친구들이 가진 연필의 길이입니다. 길이가 긴 연필을 가진 사람부터 차례로 이름을 쓰세요.

현식: 69.9 mm   도혁: 0.072 m   민혁: 7.02 cm
수환: 7.32 cm   현웅: 71.2 mm

수환 — 도혁 — 현웅 — 민혁 — 현식

2 길이를 비교한 후 알맞은 길이를 찾아 ☐ 안에 쓰세요.

| 4.2 cm | 25 mm |
| 0.036 m | 39 mm |

25 mm
0.036 m
39 mm
4.2 cm

| 37 mm | 0.04 m |
| 4.3 cm | 3.5 cm |

0.04 m
4.3 cm
37 mm
3.5 cm

38·39쪽

4일 C 344 단위 사이의 관계

개념원리

단위 사이의 관계를 알아봅시다.

1 kg = [1000] g → 1 g = [0.001] kg

1 L = [1000] mL → 1 mL = [0.001] L

1 km = [1000] m → 1 m = [0.001] km

	단위	단위 사이의 관계
무게	g, kg	1 kg = 1000 g
들이	mL, L	1 L = 1000 mL
길이	mm, m, km	1 km = 1000 m, 1 m = 1000 mm

2 kg = [2000] g → 2 g = [0.002] kg

8 L = [8000] mL → 8 mL = [0.008] L

7 km = [7000] m → 7 m = [0.007] km

5 kg = [5000] g → 5 g = [0.005] kg

13 kg = [13000] g → 13 g = [0.013] kg

21 L = [21000] mL → 21 mL = [0.021] L

18 km = [18000] m → 18 m = [0.018] km

37 L = [37000] mL → 37 mL = [0.037] L

3 g = [0.003] kg   15 g = [0.015] kg

0.245 kg = [245] g   0.58 kg = [580] g

0.465 L = [465] mL   0.076 L = [76] mL

281 mL = [0.281] L   8110 mL = [8.11] L

6400 m = [6.4] km   304 m = [0.304] km

0.073 km = [73] m   0.108 km = [108] m

229 g = [0.229] kg   0.701 L = [701] mL

3.4 kg = [3400] g   934 mL = [0.934] L

40·41쪽

응용연산

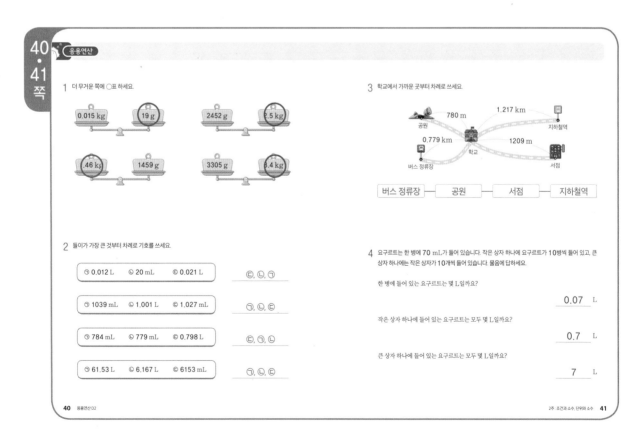

1 더 무거운 쪽에 ○표 하세요.

0.015 kg / (19 g)

2452 g / (2.5 kg)

(.46 kg) / 1459 g

3305 g / (3.4 kg)

2 들이가 가장 큰 것부터 차례로 기호를 쓰세요.

㉠ 0.012 L   ㉡ 20 mL   ㉢ 0.021 L   ㉢, ㉡, ㉠

㉠ 1039 mL   ㉡ 1.001 L   ㉢ 1.027 L   ㉠, ㉢, ㉡

㉠ 784 mL   ㉡ 779 mL   ㉢ 0.798 L   ㉢, ㉠, ㉡

㉠ 61.53 L   ㉡ 6.167 L   ㉢ 6153 mL   ㉠, ㉡, ㉢

3 학교에서 가까운 곳부터 차례로 쓰세요.

1.217 km / 780 m / 공원 / 지하철역
0.779 km / 1209 m
버스 정류장 / 학교 / 서점

버스 정류장 — 공원 — 서점 — 지하철역

4 요구르트는 한 병에 70 mL가 들어 있습니다. 작은 상자 하나에 요구르트가 10병씩 들어 있고, 큰 상자 하나에는 작은 상자가 10개씩 들어 있습니다. 물음에 답하세요.

한 병에 들어 있는 요구르트는 몇 L일까요?

0.07 L

작은 상자 하나에 들어 있는 요구르트는 모두 몇 L일까요?

0.7 L

큰 상자 하나에 들어 있는 요구르트는 모두 몇 L일까요?

7 L

형성평가 5일

1 수를 배열한 규칙이 같은 것끼리 선으로 이으세요.

| 1.03 | 1.07 |
| 1.11 | 1.15 | 1.19 |

| 3.128 | 3.13 |
| 3.132 | 3.134 | 3.136 |

| 7.89 | 8.19 |
| 8.49 | 8.79 | 9.09 |

| 8.725 | 8.765 |
| 8.805 | 8.845 | 8.885 |

| 6.545 | 6.547 |
| 6.549 | 6.551 | 6.553 |

| 0.2 | 0.5 |
| 0.8 | 1.1 | 1.4 |

2 소수를 뛰어 센 것입니다. 물음에 답하세요.

2.3에서 출발하여 0.03씩 커지도록 5번 뛰어 세었습니다. 도착 지점의 수는 얼마일까요?

1번 2번 3번 4번 5번
[2.3] 출발 → [2.45] 도착

어떤 수에서 출발하여 0.007씩 커지도록 하여 5번 뛰어 세었습니다. 도착 지점의 수가 3.45 일 때 출발 지점의 수는 얼마일까요?

1번 2번 3번 4번 5번
[3.415] 출발 → [3.45] 도착

3 주어진 카드를 한 번씩 모두 사용하여 조건에 맞는 수를 만드세요.

[3] [8] [7]
[0] [.]

- 7보다 작습니다.
- 이 소수를 10배하면 소수 첫째 자리 숫자는 3이 됩니다.
- 소수 셋째 자리 숫자는 소수 첫째 자리 숫자보다 작습니다.

0.837

4 □ 안에 알맞은 수를 쓰세요.

557 mm = [55.7] cm = [0.557] m

[3657] mm = 365.7 cm = [3.657] m

[41] mm = [4.1] cm = 0.041 m

5 다음은 미형이와 친구들이 가진 막대 과자의 길이입니다. 길이가 긴 막대 과자를 가진 친구부터 차례 로 이름을 쓰세요.

| 미형: 5.09 cm | 진희: 0.051 m | 수진: 52.3 mm |
| 남순: 0.05 m | 재원: 55 mm |

[재원] — [수진] — [진희] — [미형] — [남순]

6 더 무거운 쪽에 ○표 하세요.

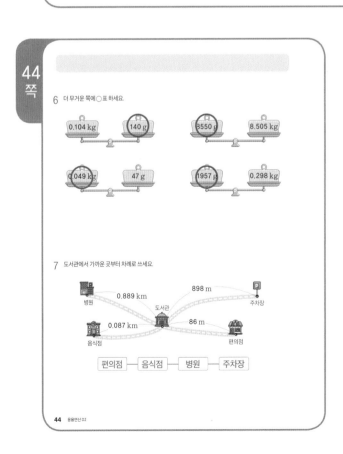

7 도서관에서 가까운 곳부터 차례로 쓰세요.

병원 — 0.889 km — 도서관 — 898 m — 주차장
음식점 — 0.087 km — 도서관 — 86 m — 편의점

[편의점] — [음식점] — [병원] — [주차장]

소수의 덧셈, 뺄셈 (1)

46·47쪽

345 자릿수가 같은 소수의 덧셈

1일 C

소수의 덧셈을 알아봅시다.

```
  0 . 3          1 . 3 6        5 . 7 7 6
+ 0 . 5        + 0 . 9 1      + 1 . 1 7 5
─────────      ─────────      ───────────
  0 . 8          2 . 2 7        6 . 9 5 1
```

소수점의 자리를 맞추어 쓴 후 자연수의 덧셈과 같은 방법으로 계산하고 소수점을 그대로 내려 찍습니다.

```
  0 . 6          3 . 7 2        4 . 5 6 8
+ 0 . 3        + 1 . 0 9      + 2 . 3 7 1
─────────      ─────────      ───────────
  0 . 9          4 . 8 1        6 . 9 3 9
```

```
  0 . 8          0 . 9 5        7 . 1 2 9
+ 0 . 4        + 0 . 6 7      + 1 . 8 7 4
─────────      ─────────      ───────────
  1 . 2          1 . 6 2        9 . 0 0 3
```

```
  2 . 9          5 . 3 6        1 . 6 7 1
+ 1 . 5        + 0 . 8 3      + 5 . 9 2 6
─────────      ─────────      ───────────
  4 . 4          6 . 1 9        7 . 5 9 7
```

```
  0 . 7          0 . 2          0 . 4
+ 0 . 2        + 0 . 3        + 0 . 9
─────────      ─────────      ─────────
  0 . 9          0 . 5          1 . 3
```

```
  2 . 5 3        3 . 7 9        2 . 4 5
+ 0 . 9 8      + 0 . 3 6      + 1 . 1 8
─────────      ─────────      ─────────
  3 . 5 1        4 . 1 5        3 . 6 3
```

```
  5 . 3 2 9      3 . 8 7 7      4 . 7 3 2
+ 1 . 8 1 5    + 2 . 4 9 6    + 2 . 4 6 9
───────────    ───────────    ───────────
  7 . 1 4 4      6 . 3 7 3      7 . 2 0 1
```

$1.2 + 1.4 = 2.6$ $2.9 + 3.2 = 6.1$

$2.48 + 3.85 = 6.33$ $3.74 + 5.79 = 9.53$

$0.349 + 1.658 = 2.007$ $4.567 + 1.234 = 5.801$

48·49쪽

응용연산

1 □안에 알맞은 수를 쓰세요.

```
  3 . 7 8        1 . 3 7        2 . 3 5
+ 4 . 4 3      + 1 . 8 9      + 3 . 6 7
─────────      ─────────      ─────────
  8 . 2 1        3 . 2 6        6 . 0 2
```

```
  3 . 5 4 9      1 . 5 8 5
+ 3 . 4 7 4    + 5 . 9 7 6
───────────    ───────────
  7 . 0 2 3      7 . 5 6 1
```

2 □안에 들어갈 수 있는 수를 모두 쓰세요.

$3.38 + 5.6\square > 9.05$	8, 9
$3.\square7 + 2.57 < 6.01$	0, 1, 2, 3
$1.797 + 4.366 < 6.1\square2$	7, 8, 9
$5.483 + 6.769 > 12.\square51$	0, 1, 2

3 가장 큰 소수와 두 번째로 작은 소수의 합을 구하세요.

| 0.24 | 0.65 | 0.62 | 0.28 | 0.46 |

$0.65 + 0.28 = 0.93$

4 주어진 카드를 한 번씩 모두 사용하여 만들 수 있는 가장 큰 소수 두 자리 수와 가장 작은 소수 두 자리 수의 합을 구하세요.

| 2 | 7 | 5 | . |

$7.52 + 2.57 = 10.09$

| 8 | 6 | 4 | . |

$8.64 + 4.68 = 13.32$

5 두 수 ㉠과 ㉡의 합을 구하세요.

㉠ 0.01이 78인 수
㉡ 소수 첫째 자리 숫자가 5이고, 소수 둘째 자리 숫자가 7인 1보다 작은 소수 두 자리 수

$0.78 + 0.57 = 1.35$

6 터널 앞까지 1.28 km, 터널 길이 0.94 km라고 쓰여 있는 교통 표지판 앞에 자동차가 서 있습니다. 터널을 지나려면 지금 있는 곳에서 몇 km를 가야 할까요?

식 $1.28 + 0.94 = 2.22$ 답 2.22 km

2일
346 자릿수가 같은 소수의 뺄셈

소수의 뺄셈을 알아봅시다.

```
   2 . 8        5 . 2 8        4 . 8 2 4
 - 0 . 9      - 0 . 4 5      - 1 . 3 7 2
 [1].[9]      [4].[8 3]      [3].[4 5 2]
```

소수점의 자리를 맞추어 쓴 후 자연수의 뺄셈과 같은 방법으로 계산하고 소수점을 그대로 내려 찍습니다.

```
   0 . 9        2 . 3 7        4 . 2 6 3
 - 0 . 4      - 0 . 8 1      - 3 . 9 4 5
 [0].[5]      [1].[5 6]      [0].[3 1 8]
```

```
   1 . 7        3 . 6 8        9 . 8 4 7
 - 0 . 8      - 2 . 1 9      - 6 . 8 7 5
 [0].[9]      [1].[4 9]      [2].[9 7 2]
```

```
   3 . 2        6 . 4 7        8 . 2 3 4
 - 1 . 6      - 5 . 9 8      - 4 . 7 1 9
 [1].[6]      [0].[4 9]      [3].[5 1 5]
```

```
   0 . 7        1 . 2        2 . 1
 - 0 . 2      - 0 . 9      - 1 . 4
   0 . 5        0 . 3        0 . 7
```

```
   2 . 3 6        1 . 4 5        3 . 5 3
 - 0 . 8 9      - 0 . 1 8      - 2 . 9 4
   1 . 4 7        1 . 2 7        0 . 5 9
```

```
   3 . 4 0 6        4 . 2 9 4        5 . 3 2 9
 - 0 . 9 2 3      - 2 . 7 6 7      - 1 . 8 1 5
   2 . 4 8 3        1 . 5 2 7        3 . 5 1 4
```

$1.3 - 0.9 = 0.4$ $2.5 - 1.8 = 0.7$

$7.45 - 2.79 = 4.66$ $5.62 - 1.75 = 3.87$

$8.394 - 5.728 = 2.666$ $6.845 - 3.746 = 3.099$

응용연산

1 ☐ 안에 알맞은 수를 쓰세요.

```
   2 . 1 3        6 . [2] 9        4 . 9 [1]
 - [0] . 8 9    - 3 . 7 6      - 1 . 5 6
   1 . 2 [4]      [2] . 5 3        3 . 3 5
```

```
   5 . 4 [5] 6        3 . 7 8 1
 - 2 . 9 [8] 3    - 0 . 6 7 2
   2 . 4 7 [3]        [3] . 1 0 9
```

2 ☐ 안에 들어갈 수 있는 수를 모두 쓰세요.

$7.2 - 3.8 < 3.\square < 4.1 - 0.3$	5, 6, 7
$8.72 - 7.56 < 1.1\square < 6.18 - 4.99$	7, 8
$9.012 - 8.954 < 0.0\square 7 < 1.048 - 0.961$	6, 7
$5.243 - 3.187 < 2.\square 75 < 5.048 - 2.876$	0

3 주어진 수 카드를 한 번씩 모두 사용하여 만들 수 있는 가장 큰 소수 세 자리 수와 가장 작은 소수 세 자리 수의 차를 구하세요.

```
 .  1  2  7  3  4
```
$74.321 - 12.347 = \underline{61.974}$

```
 .  1  5  6  3  8
```
$86.531 - 13.568 = \underline{72.963}$

4 다음 중 두 수를 사용하여 차가 가장 큰 식과 차가 가장 작은 식을 만들고 계산하세요.

1.83	1.28
0.27	0.74

가장 큰 차 : $\boxed{1.83} - \boxed{0.27} = \boxed{1.56}$

가장 작은 차 : $\boxed{0.74} - \boxed{0.27} = \boxed{0.47}$

3.457	2.569
1.389	4.521

가장 큰 차 : $\boxed{4.521} - \boxed{1.389} = \boxed{3.132}$

가장 작은 차 : $\boxed{3.457} - \boxed{2.569} = \boxed{0.888}$

5 딸기가 들어 있는 바구니의 무게는 1.457 kg이고, 빈 바구니의 무게는 0.289 kg입니다. 바구니에 들어 있는 딸기의 무게는 몇 kg일까요?

식 $1.457 - 0.289 = 1.168$ 답 1.168 kg

54·55쪽

C 347 소수의 덧셈과 뺄셈 (1)

소수의 덧셈과 뺄셈을 알아봅시다.

$$\begin{array}{r} 0.7 \\ +0.8 \end{array}$$ ⇒ 0.7 → 0.1이 $\boxed{7}$ 개
+0.8 → 0.1이 $\boxed{8}$ 개
0.1이 $\boxed{15}$ 개 ⇒ $\begin{array}{r} 0.7 \\ +0.8 \\ \hline 1.5 \end{array}$

$$\begin{array}{r} 3.42 \\ -0.85 \end{array}$$ ⇒ 3.42 → 0.01이 $\boxed{342}$ 개
-0.85 → 0.01이 $\boxed{85}$ 개
0.01이 $\boxed{257}$ 개 ⇒ $\begin{array}{r} 3.42 \\ -0.85 \\ \hline 2.57 \end{array}$

$$\begin{array}{r} 2.75 \\ +3.81 \end{array}$$ ⇒ 2.75 → 0.01이 $\boxed{275}$ 개
+3.81 → 0.01이 $\boxed{381}$ 개
0.01이 $\boxed{656}$ 개 ⇒ $\begin{array}{r} 2.75 \\ +3.81 \\ \hline 6.56 \end{array}$

$$\begin{array}{r} 0.805 \\ -0.241 \end{array}$$ ⇒ 0.805 → 0.001이 $\boxed{805}$ 개
-0.241 → 0.001이 $\boxed{241}$ 개
0.001이 $\boxed{564}$ 개 ⇒ $\begin{array}{r} 0.805 \\ -0.241 \\ \hline 0.564 \end{array}$

$$\begin{array}{r} 0.6 \\ +0.9 \\ \hline 1.5 \end{array} \qquad \begin{array}{r} 1.5 \\ -0.8 \\ \hline 0.7 \end{array} \qquad \begin{array}{r} 2.7 \\ +4.4 \\ \hline 7.1 \end{array}$$

$$\begin{array}{r} 6.17 \\ -4.49 \\ \hline 1.68 \end{array} \qquad \begin{array}{r} 0.38 \\ +1.57 \\ \hline 1.95 \end{array} \qquad \begin{array}{r} 7.02 \\ -0.65 \\ \hline 6.37 \end{array}$$

$$\begin{array}{r} 9.746 \\ +2.385 \\ \hline 12.131 \end{array} \qquad \begin{array}{r} 7.102 \\ -2.643 \\ \hline 4.459 \end{array} \qquad \begin{array}{r} 6.575 \\ +1.849 \\ \hline 8.424 \end{array}$$

2.6+3.8=6.4   4.1−1.2=2.9

4.74+0.97=5.71   3.02−2.76=0.26

2.062+6.687=8.749   5.381−2.409=2.972

56·57쪽

응용연산

1 계산 결과가 같은 것끼리 선으로 이으세요.

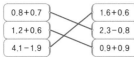

0.8+0.7	1.6+0.6
1.2+0.6	2.3−0.8
4.1−1.9	0.9+0.9

2 주어진 수를 한 번씩 모두 사용하여 모두 식을 완성하세요.

2 3 9 7
$$\begin{array}{r} 3.7 \\ +2.9 \\ \hline 6.6 \end{array}$$

8 5 2 6
$$\begin{array}{r} 5.6 \\ -2.8 \\ \hline 2.8 \end{array}$$

0 6 7 5 1 8
$$\begin{array}{r} 1.76 \\ +0.85 \\ \hline 2.61 \end{array}$$

2 3 4 1 9 7
$$\begin{array}{r} 9.34 \\ -1.72 \\ \hline 7.62 \end{array}$$

덧셈식에서는 같은 자리 숫자끼리 위치가 바뀌어도 정답입니다.

3 수 카드를 한 번씩 모두 사용하여 만들 수 있는 1보다 작은 소수 두 자리 수 두 개의 합과 차를 구하세요.

. 0
5 9
소수의 합: 1.54
소수의 차: 0.36

. 0
3 8
소수의 합: 1.21
소수의 차: 0.45

4 □안에 알맞은 수를 쓰세요.

0.56+0.6$\boxed{8}$=1.2 4   4.$\boxed{3}$8−2.49=1.8$\boxed{9}$

5 정민이의 몸무게는 41.35 kg이고, 승호는 정민이보다 2.39 kg이 가볍습니다. 물음에 답하세요.

승호의 몸무게는 몇 kg일까요?

식 41.35−2.39=38.96   답 38.96 kg

두 친구의 몸무게의 합은 몇 kg일까요?

식 41.35+38.96=80.31   답 80.31 kg

348 세 소수의 계산 (1)

4일 C

세 소수의 계산을 알아봅시다.

$0.15 + 0.48 - 0.09 = \boxed{0.54}$

```
  0.15        ·0.63
+ 0.48      - 0.09
  0.63        0.54
```

세 소수의 계산은 앞에서부터 차례대로 계산합니다.

$0.6 + 1.7 + 0.8 = \boxed{3.1}$

```
  0.6        ·2.3
+ 1.7      + 0.8
  2.3        3.1
```

$1.48 + 0.76 - 0.93 = \boxed{1.31}$

```
  1.48       ·2.24
+ 0.76     - 0.93
  2.24       1.31
```

$3.54 - 0.68 - 1.94 = \boxed{0.92}$

```
  3.54       ·2.86
- 0.68     - 1.94
  2.86       0.92
```

$2.3 + 0.8 + 0.3 = 3.4$

$1.9 + 0.7 - 1.1 = 1.5$

$1.5 - 1.4 + 0.7 = 0.8$

$2.1 - 1.5 - 0.2 = 0.4$

$1.3 + 0.8 + 0.3 = 2.4$

$6.5 + 1.7 - 2.4 = 5.8$

$3.1 - 1.8 + 1.5 = 2.8$

$2.5 - 0.9 - 1.4 = 0.2$

$1.43 + 0.36 + 1.55 = 3.34$

$3.45 + 5.29 - 2.38 = 6.36$

$5.16 - 1.25 + 0.81 = 4.72$

$1.03 - 0.14 - 0.63 = 0.26$

$0.27 + 0.45 + 1.49 = 2.21$

$0.77 + 0.35 - 0.81 = 0.31$

$1.22 - 0.45 + 0.32 = 1.09$

$3.61 - 1.44 - 0.86 = 1.31$

응용연산

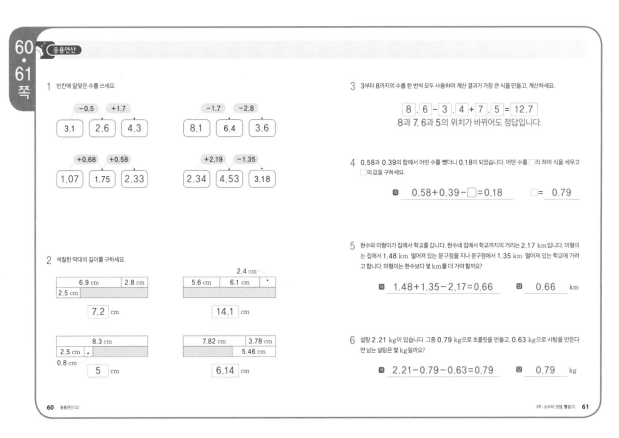

1 빈칸에 알맞은 수를 쓰세요.

| -0.5 | $+1.7$ |
| 3.1 | 2.6 | 4.3 |

| -1.7 | -2.8 |
| 8.1 | 6.4 | 3.6 |

| $+0.68$ | $+0.58$ |
| 1.07 | 1.75 | 2.33 |

| $+2.19$ | -1.35 |
| 2.34 | 4.53 | 3.18 |

2 색칠한 막대의 길이를 구하세요.

```
| 6.9 cm | 2.8 cm |
| 2.5 cm |
```
$\boxed{7.2}$ cm

```
         | 2.4 cm |
| 5.6 cm | 6.1 cm | · |
```
$\boxed{14.1}$ cm

```
| 8.3 cm |
| 2.5 cm | · |
| 0.8 cm |
```
$\boxed{5}$ cm

```
| 7.82 cm | 3.78 cm |
|         | 5.46 cm |
```
$\boxed{6.14}$ cm

3 3부터 8까지의 수를 한 번씩 모두 사용하여 계산 결과가 가장 큰 식을 만들고, 계산하세요.

$\boxed{8}.\boxed{6} - \boxed{3}.\boxed{4} + \boxed{7}.\boxed{5} = \boxed{12.7}$

8과 7, 6과 5의 위치가 바뀌어도 정답입니다.

4 0.58과 0.39의 합에서 어떤 수를 뺐더니 0.18이 되었습니다. 어떤 수를 □라 하여 식을 세우고 □의 값을 구하세요.

식 $\underline{0.58 + 0.39 - \square = 0.18}$ □ = $\underline{0.79}$

5 현수와 미형이가 집에서 학교를 갑니다. 현수네 집에서 학교까지의 거리는 2.17 km입니다. 미형이는 집에서 1.48 km 떨어져 있는 문구점을 지나 문구점에서 1.35 km 떨어져 있는 학교에 가려고 합니다. 미형이는 현수보다 몇 km를 더 가야 할까요?

식 $\underline{1.48 + 1.35 - 2.17 = 0.66}$ 답 $\underline{0.66}$ km

6 설탕 2.21 kg이 있습니다. 그중 0.79 kg으로 초콜릿을 만들고, 0.63 kg으로 사탕을 만든다면 남는 설탕은 몇 kg일까요?

식 $\underline{2.21 - 0.79 - 0.63 = 0.79}$ 답 $\underline{0.79}$ kg

62·63쪽

5일 형성평가

1 □ 안에 알맞은 수를 쓰세요.

```
  5 . 4 9
+ 2 . 3 [6]
  [7].[8] 5
```

```
  3 .[4] 5
+[5]. 2 [8]
  8 . 7 3
```

```
  2 . 1 [9] 5
+ 1 .[4] 7 [6]
  [3]. 6 7 1
```

```
  1 . 3 4 2
+ 0 . 7 [8] 9
  2 .[1] 3 [1]
```

2 두 수 ㉠과 ㉡의 합을 구하세요.

㉠ 0.01이 138인 수
㉡ 소수 첫째 자리 숫자가 8이고, 소수 둘째 자리 숫자가 5인 1보다 작은 소수 두 자리 수

1.38+0.85=
2.23

3 주어진 수 카드를 한 번씩 모두 사용하여 만들 수 있는 가장 큰 소수 세 자리 수와 가장 작은 소수 세 자리 수의 차를 구하세요.

`. 2 6 5 4 3`

65.432−23.456=
41.976

4 다음 중 두 수를 사용하여 차가 가장 큰 식과 차가 가장 작은 식을 만들고 계산하세요.

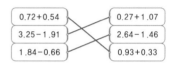

| 3.25 | 4.76 |
| 3.97 | 2.78 |

가장 큰 차: 4.76 − 2.78 = 1.98
가장 작은 차: 3.25 − 2.78 = 0.47

| 0.456 | 1.518 |
| 2.397 | 3.424 |

가장 큰 차: 3.424 − 0.456 = 2.968
가장 작은 차: 2.397 − 1.518 = 0.879

5 계산 결과가 같은 것끼리 선으로 이으세요.

0.72+0.54 ──── 0.27+1.07
3.25−1.91 ──── 2.64−1.46
1.84−0.66 ──── 0.93+0.33

6 수 카드를 한 번씩 모두 사용하여 만들 수 있는 1보다 작은 소수 두 자리 수 두 개의 합과 차를 구하세요.

`. 6`
`7 0`
소수의 합: 1.43
소수의 차: 0.09

`. 3`
`0 5`
소수의 합: 0.88
소수의 차: 0.18

64쪽

7 1부터 6까지의 수를 한 번씩 모두 사용하여 계산한 값이 가장 작은 식을 만들고 계산하세요.

`1`.`5`+`3`.`2`−`4`.`6`=`0.1`

또는 1.2+5.3−6.4=0.1
더하는 두 소수에서는 같은 자리 숫자끼리 위치가 바뀌어도 정답입니다.

8 1.84와 0.77의 합에서 어떤 수를 뺐더니 0.69가 되었습니다. 어떤 수를 □라 하여 식을 세우고 □의 값을 구하세요.

식 1.84+0.77−□=0.69   □= 1.92

9 물 3.65 L가 있습니다. 두 친구가 각각 1.87 L, 0.64 L씩 마신다면 남는 물은 몇 L일까요?

식 3.65−1.87−0.64=1.14   답 1.14 L

소수의 덧셈, 뺄셈 (2)

66·67쪽

349 자릿수가 다른 소수의 덧셈

자릿수가 다른 소수의 덧셈을 알아봅시다.

$2.82 + 0.7 = \boxed{3.52}$

```
  2 . 8 2
+ 0 . 7 0
─────────
  3 . 5 2
```

$3.9 + 1.248 = \boxed{5.148}$

```
  3 . 9 0 0
+ 1 . 2 4 8
───────────
  5 . 1 4 8
```

소수점 아래 자릿수가 다른 소수의 덧셈을 할 때에는 끝자리 뒤에 0이 있는 것으로 생각하여 자릿수를 맞추어 더합니다.

$1.9 + 3.25 = \boxed{5.15}$

```
  1 . 9 0
+ 3 . 2 5
─────────
  5 . 1 5
```

$6.095 + 3.26 = \boxed{9.355}$

```
  6 . 0 9 5
+ 3 . 2 6 0
───────────
  9 . 3 5 5
```

$1.88 + 1.3 = \boxed{3.18}$

```
  1 . 8 8
+ 1 . 3 0
─────────
  3 . 1 8
```

$4.846 + 1.2 = \boxed{6.046}$

```
  4 . 8 4 6
+ 1 . 2 0 0
───────────
  6 . 0 4 6
```

$3.7 + 4.35 = 8.05$

$6.395 + 1.7 = 8.095$

$2.61 + 1.3 = 3.91$

$4.172 + 2.49 = 6.662$

$3.48 + 1.987 = 5.467$

$3.6 + 0.448 = 4.048$

$7.6 + 1.56 = 9.16$

$3.29 + 1.876 = 5.166$

$2.912 + 4.4 = 7.312$

$3.33 + 7.2 = 10.53$

$1.5 + 4.03 = 5.53$

$5.08 + 2.775 = 7.855$

$6.994 + 2.6 = 9.594$

$7.53 + 1.7 = 9.23$

$3.87 + 2.975 = 6.845$

$3.7 + 5.552 = 9.252$

68·69쪽

응용연산

1 □안에 알맞은 수를 찾고 덧셈을 하여 빈칸을 채우세요.

+ 0.7	
2.72	3.42
5.45	6.15
0.813	1.513

+ 0.04	
1.287	1.327
0.87	0.91
4.089	4.129

+ 0.5	
1.185	1.685
3.835	4.335
1.66	2.16

2 주어진 소수 카드 중 3장을 사용하여 덧셈식을 완성하세요.

6.1	6.08	0.89
	6.98	0.9

$\boxed{6.08} + \boxed{0.9} = \boxed{6.98}$

4.86	0.16	0.26
	4.9	4.7

$\boxed{4.7} + \boxed{0.16} = \boxed{4.86}$

3.33	2.9	7.13
	3.8	4.33

$\boxed{3.33} + \boxed{3.8} = \boxed{7.13}$

더하는 두 수는 바뀌어도 정답입니다.

3 두 수 ㉠과 ㉡의 합을 구하세요.

㉠ 0.1이 12개, 0.01이 35개인 수
㉡ 0.01이 23개, 0.001이 39개인 수

$1.55 + 0.269 = 1.819$

㉠ 0.1이 23개, 0.01이 84개인 수
㉡ 0.01이 54개, 0.001이 179개인 수

$3.14 + 0.719 = 3.859$

4 □안에 알맞은 수를 쓰세요.

$2.\boxed{5} + 3.67 = 6.1\boxed{7}$

$3.\boxed{8}9 + \boxed{1}.4 = 5.2\boxed{9}$

5 집에서 버스 정류장까지의 거리는 380 m이고, 버스 정류장에서 학교까지의 거리는 1.829 km입니다. 집에서 버스 정류장을 지나 학교까지 오는 거리는 모두 몇 km일까요?

식 $0.38 + 1.829 = 2.209$

답 2.209 km

70·71쪽

340
2일 C 자릿수가 다른 소수의 뺄셈

개념
원리

자릿수가 다른 소수의 뺄셈을 알아봅시다.

$3.25 - 1.9 = \boxed{1.35}$

$$\begin{array}{r} 3.\ 2\ 5 \\ -\ 1.\ 9\ 0 \\ \hline \boxed{1}.\boxed{3}\boxed{5} \end{array}$$

$5.07 - 2.208 = \boxed{2.862}$

$$\begin{array}{r} 5.\ 0\ 7\ 0 \\ -\ 2.\ 2\ 0\ 8 \\ \hline \boxed{2}.\boxed{8}\boxed{6}\boxed{2} \end{array}$$

소수점 아래 자릿수가 다른 소수의 뺄셈을 할 때에는 끝자리 뒤에 0이 있는 것으로 생각하여 자릿수를 맞추어 뺍니다.

$2.2 - 1.87 = \boxed{0.33}$

$$\begin{array}{r} 2.\ 2\ 0 \\ -\ 1.\ 8\ 7 \\ \hline \boxed{0}.\boxed{3}\boxed{3} \end{array}$$

$4.508 - 1.68 = \boxed{2.828}$

$$\begin{array}{r} 4.\ 5\ 0\ 8 \\ -\ 1.\ 6\ 8\ 0 \\ \hline \boxed{2}.\boxed{8}\boxed{2}\boxed{8} \end{array}$$

$1.15 - 0.3 = \boxed{0.85}$

$$\begin{array}{r} 1.\ 1\ 5 \\ -\ 0.\ 3\ 0 \\ \hline \boxed{0}.\boxed{8}\boxed{5} \end{array}$$

$7.4 - 3.766 = \boxed{3.634}$

$$\begin{array}{r} 7.\ 4\ 0\ 0 \\ -\ 3.\ 7\ 6\ 6 \\ \hline \boxed{3}.\boxed{6}\boxed{3}\boxed{4} \end{array}$$

$4.5 - 1.876 = 2.624$

$5.3 - 1.26 = 4.04$

$1.776 - 0.9 = 0.876$

$9.76 - 5.432 = 4.328$

$10.4 - 7.53 = 2.87$

$9.12 - 8.8 = 0.32$

$7.5 - 1.231 = 6.269$

$3.446 - 0.28 = 3.166$

$3.35 - 1.238 = 2.112$

$2.45 - 1.8 = 0.65$

$6.53 - 4.213 = 2.317$

$8.8 - 1.35 = 7.45$

$1.05 - 0.6 = 0.45$

$6.453 - 3.7 = 2.753$

$5.23 - 1.475 = 3.755$

$2.37 - 0.5 = 1.87$

72·73쪽

응용연산

1 □안에 알맞은 수를 찾고 뺄셈을 하여 빈칸을 채우세요.

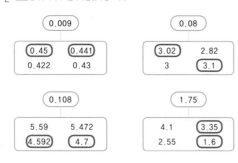

− 0.6	
5.24	4.64
4.521	3.921
3.19	2.59

− 0.09	
1.028	0.938
0.881	0.791
3.345	3.255

− 0.005	
0.45	0.445
3.33	3.325
5.291	5.286

2 ◯안의 수가 차가 되는 두 수를 찾아 ◯표 하세요.

(0.009)
(0.45) (0.441)
0.422   0.43

(0.08)
(3.02)   2.82
3   (3.1)

(0.108)
5.59   5.472
(4.592) (4.7)

(1.75)
4.1   (3.35)
2.55   (1.6)

3 다음 계산에서 잘못된 곳을 찾아 바르게 계산하세요.

$$\begin{array}{r} 3\ 2.\ 5 \\ -\ 7.\ 2\ 3\ 6 \\ \hline 2\ 5.\ 3\ 3\ 6 \end{array}$$
↓
$$\begin{array}{r} 3\ 2.\ 5 \\ -\ 7.\ 2\ 3\ 6 \\ \hline 2\ 5.\ 2\ 6\ 4 \end{array}$$

$$\begin{array}{r} 6.\ 7\ 3 \\ -\ \ \ 4.\ 8 \\ \hline 6.\ 3\ 5 \end{array}$$
↓
$$\begin{array}{r} 6.\ 7\ 3 \\ -\ \ \ 4.\ 8 \\ \hline 1.\ 9\ 3 \end{array}$$

4 □안에 알맞은 수를 모두 쓰세요.

$1.174 - 0.76 > 0.\square 23$ ____ 0, 1, 2, 3

$4.5 - 1.175 > 3.3\square 4$ ____ 0, 1, 2

5 500원짜리 동전은 7.7 g이고, 100원짜리 동전은 5.42 g이라고 합니다. 500원짜리 동전은 100원짜리 동전보다 몇 g 더 무거울까요?

식 ____ $7.7 - 5.42 = 2.28$ ____ 답 ____ 2.28 ____ g

3일 351 소수의 덧셈과 뺄셈 (2)

소수의 덧셈과 뺄셈을 알아봅시다.

$$\begin{array}{r} 1.7 \\ +0.28 \end{array}$$ ➡ 1.7 → 0.01이 [170] 개
+0.28 → 0.01이 [28] 개
0.01이 [198] 개
➡ $$\begin{array}{r} 1.7 \\ +0.28 \\ \hline [1.98] \end{array}$$

$$\begin{array}{r} 3.202 \\ -1.38 \end{array}$$ ➡ 3.202 → 0.001이 [3202] 개
-1.38 → 0.001이 [1380] 개
0.001이 [1822] 개
➡ $$\begin{array}{r} 3.202 \\ -1.38 \\ \hline [1.822] \end{array}$$

$$\begin{array}{r} 0.508 \\ +0.29 \end{array}$$ ➡ 0.508 → 0.001이 [508] 개
+0.29 → 0.001이 [290] 개
0.001이 [798] 개
➡ $$\begin{array}{r} 0.508 \\ +0.29 \\ \hline [0.798] \end{array}$$

$$\begin{array}{r} 7.29 \\ -3.109 \end{array}$$ ➡ 7.29 → 0.001이 [7290] 개
-3.109 → 0.001이 [3109] 개
0.001이 [4181] 개
➡ $$\begin{array}{r} 7.29 \\ -3.109 \\ \hline [4.181] \end{array}$$

$$\begin{array}{r} 3.75 \\ +0.3 \\ \hline 4.05 \end{array} \qquad \begin{array}{r} 1.2 \\ -0.46 \\ \hline 0.74 \end{array} \qquad \begin{array}{r} 1.843 \\ +2.53 \\ \hline 4.373 \end{array}$$

$$\begin{array}{r} 5.234 \\ -3.19 \\ \hline 2.044 \end{array} \qquad \begin{array}{r} 6.375 \\ +1.8 \\ \hline 8.175 \end{array} \qquad \begin{array}{r} 3.4 \\ -0.983 \\ \hline 2.417 \end{array}$$

$$\begin{array}{r} 1.4 \\ +2.95 \\ \hline 4.35 \end{array} \qquad \begin{array}{r} 4.19 \\ -3.7 \\ \hline 0.49 \end{array} \qquad \begin{array}{r} 7.16 \\ +2.875 \\ \hline 10.035 \end{array}$$

$4.55+2.7=7.25$ $8.67-5.8=2.87$

$6.9+4.778=11.678$ $3.1-1.85=1.25$

$0.765+7.59=8.355$ $5.43-3.297=2.133$

응용연산

1 빈칸에 알맞은 수를 쓰세요.

(+)		
7.9	1.06	8.96
3.21	0.208	3.418
4.69	0.852	

(−)

(+)		
4.3	3.89	8.19
2.73	1.446	4.176
1.57	2.444	

(−)

2 어떤 수를 구하고 바르게 계산하세요.

어떤 수에서 2.87을 빼야 할 것을 잘못하여 더했더니 7.654가 되었습니다.
어떤 수: 4.784   바르게 계산하기: 4.784−2.87=1.914

어떤 수에 1.17을 더해야 할 것을 잘못하여 뺐더니 5.435가 되었습니다.
어떤 수: 6.605   바르게 계산하기: 6.605+1.17=7.775

어떤 수에서 3.9를 빼야 할 것을 잘못하여 더했더니 10.738이 되었습니다.
어떤 수: 6.838   바르게 계산하기: 6.838−3.9=2.938

3 □ 안에 알맞은 수를 쓰세요.

$$\begin{array}{r} 5.3[6] \\ +[2].4[5]4 \\ \hline 7.814 \end{array} \qquad \begin{array}{r} 8.1[6]7 \\ +0.78 \\ \hline 8.9[4]7 \end{array}$$

$$\begin{array}{r} 3.7[5]8 \\ -[0].9 \\ \hline 2.85[8] \end{array} \qquad \begin{array}{r} [4].3[5] \\ -2.5[7]9 \\ \hline 1.771 \end{array}$$

4 지수와 동생이 같이 초콜릿을 만듭니다. 지수는 초콜릿을 7.42 g 만들고, 동생은 지수보다 2.478 g 더 많이 만들었습니다. 동생이 만든 초콜릿은 몇 g일까요?
식 7.42+2.478=9.898   답 9.898 g

5 수미는 집에서 학교까지 걸어가려고 합니다. 집에서 학교까지의 거리는 1.34 km이고, 현재 수미가 0.963 km 걸어왔다면 앞으로 몇 km를 더 가야 할까요?
식 1.34−0.963=0.377   답 0.377 km

정답 및 해설 **19**

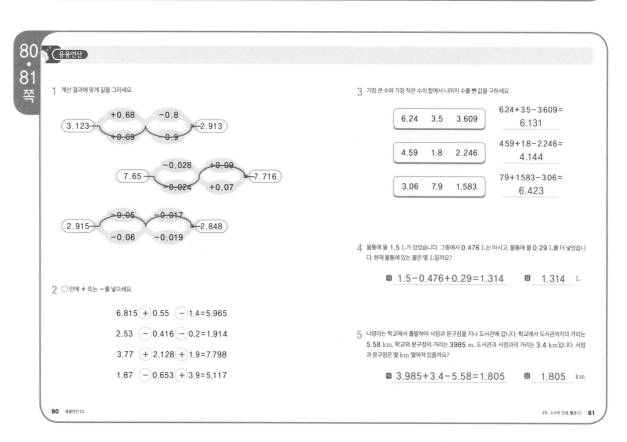

78·79쪽

352 C 4일
세 소수의 계산 (2)

개념원리 세 소수의 계산을 알아봅시다.

$4.5 - 1.25 + 0.248$

$= \boxed{3.498}$

$$\begin{array}{r} 4.5 \\ -\ 1.25 \\ \hline 3.25 \end{array}$$

$$\begin{array}{r} 3.25 \\ +\ 0.248 \\ \hline 3.498 \end{array}$$

세 소수의 계산은 앞에서부터 차례대로 계산합니다.

$2.3 + 1.47 + 0.489$

$= \boxed{4.259}$

$$\begin{array}{r} 2.3 \\ +\ 1.47 \\ \hline 3.77 \end{array}$$

$$\begin{array}{r} 3.77 \\ +\ 0.489 \\ \hline 4.259 \end{array}$$

$5.08 + 1.531 - 2.7$

$= \boxed{3.911}$

$$\begin{array}{r} 5.08 \\ +\ 1.531 \\ \hline 6.611 \end{array}$$

$$\begin{array}{r} 6.611 \\ -\ 2.7 \\ \hline 3.911 \end{array}$$

$3.33 - 1.5 - 0.685$

$= \boxed{1.145}$

$$\begin{array}{r} 3.33 \\ -\ 1.5 \\ \hline 1.83 \end{array}$$

$$\begin{array}{r} 1.83 \\ -\ 0.685 \\ \hline 1.145 \end{array}$$

$0.6 + 0.95 + 1.2 = 2.75$

$2.79 + 3.5 + 1.087 = 7.377$

$3.4 + 1.12 - 0.768 = 3.752$

$1.12 + 7.9 - 4.512 = 4.508$

$5.587 - 3.9 + 2.63 = 4.317$

$4.32 - 1.8 + 6.542 = 9.062$

$6.54 - 3.972 - 1.5 = 1.068$

$2.42 - 1.7 - 0.009 = 0.711$

$5.9 + 1.283 + 2.03 = 9.213$

$3.11 - 2.9 + 1.695 = 1.905$

$7.954 + 0.8 - 7.71 = 1.044$

$5.4 + 2.56 - 4.119 = 3.841$

$6.238 - 5.3 + 1.07 = 2.008$

$3.39 - 0.927 + 1.6 = 4.063$

$4.8 - 1.26 - 1.345 = 2.195$

$4.582 - 2.76 - 1.2 = 0.622$

80·81쪽

응용연산

1 계산 결과에 맞게 길을 그리세요.

3.123 —— $+0.68$ / $+0.69$ —— -0.8 / 0.9 —— $=2.913$

7.65 —— -0.028 / -0.024 —— $+0.09$ / $+0.07$ —— $=7.716$

2.915 —— -0.05 / -0.06 —— -0.017 / -0.019 —— $=2.848$

2 ○안에 + 또는 −를 넣으세요.

$6.815 \ (+) \ 0.55 \ (-) \ 1.4 = 5.965$

$2.53 \ (-) \ 0.416 \ (-) \ 0.2 = 1.914$

$3.77 \ (+) \ 2.128 \ (+) \ 1.9 = 7.798$

$1.87 \ (-) \ 0.653 \ (+) \ 3.9 = 5.117$

3 가장 큰 수와 가장 작은 수의 합에서 나머지 수를 뺀 값을 구하세요.

6.24	3.5	3.609

$6.24 + 3.5 - 3.609 =$
6.131

4.59	1.8	2.246

$4.59 + 1.8 - 2.246 =$
4.144

3.06	7.9	1.583

$7.9 + 1.583 - 3.06 =$
6.423

4 물통에 물 1.5 L가 있었습니다. 그중에서 0.476 L는 마시고, 물통에 물 0.29 L를 더 넣었습니다. 현재 물통에 있는 물은 몇 L일까요?

식 $1.5 - 0.476 + 0.29 = 1.314$ 답 1.314 L

5 나영이는 학교에서 출발하여 서점과 문구점을 지나 도서관에 갑니다. 학교에서 도서관까지의 거리는 5.58 km, 학교와 문구점의 거리는 3985 m, 도서관과 서점과의 거리는 3.4 km입니다. 서점과 문구점은 몇 km 떨어져 있을까요?

식 $3.985 + 3.4 - 5.58 = 1.805$ 답 1.805 km

형성평가

1 ☐안에 알맞은 수를 찾고 덧셈을 하여 빈칸을 채우세요.

+ 0.3	
3.26	3.56
4.37	4.67
1.283	1.583

+ 0.9	
2.28	3.18
1.176	2.076
3.642	4.542

+ 0.04	
5.563	5.603
3.356	3.396
4.867	4.907

2 ☐안에 알맞은 수를 쓰세요.

 1 .472+6.3 5 =7. 8 22　3.5 9 + 2 . 4 57=6.04 7

3 ◯안의 수가 차가 되는 두 수를 찾아 ◯표 하세요.

(0.038)

| (0.272) | 0.38 |
| 0.358 | (0.31) |

(0.127)

| 4.313 | 4.43 |
| (4.31) | (4.183) |

4 다음 계산에서 잘못된 곳을 찾아 바르게 계산하세요.

```
  1 3 . 9
-  6 . 4 5 7
  7 . 5 5 7
    ↓
  1 3 . 9
-  6 . 4 5 7
  7 . 4 4 3
```

```
  7 . 3 5
-   2 . 6
  7 . 0 9
    ↓
  7 . 3 5
-   2 . 6
  4 . 7 5
```

5 빈칸에 알맞은 수를 쓰세요.

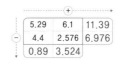

	+	
5.29	6.1	11.39
4.4	2.576	6.976
0.89	3.524	

	+	
3.2	4.06	7.26
1.17	0.487	1.657
2.03	3.573	

6 ☐안에 알맞은 수를 쓰세요.

```
  0 . 9 8 1
+ 2 . 3 5
  3 . 3 3 1
```

```
  1 . 2 5
- 0 . 0 6 3
  1 . 1 8 7
```

7 계산 결과에 맞게 길을 그리세요.

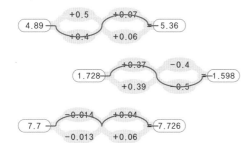

8 ◯안에 + 또는 -를 넣으세요.

3.6 ⊖ 1.47 ⊖ 0.016 = 2.114

5.79 ⊕ 0.4 ⊖ 0.325 = 5.865

4.487 ⊖ 3.5 ⊕ 2.96 = 3.947

1.972 ⊕ 0.07 ⊕ 0.6 = 2.642

"
Numbers rule the universe.
"

"수가 우주를 지배한다"

Pythagoras, 피타고라스

공간감각을 위한 하루10분 도형학습지

플라토 는 체계적이고 효과적으로 도형을 학습합니다.

- 매일 부담없는 2페이지 10분 학습
- 매주 5일간 유형 연습 (5일차는 중요 유형 확인 학습)
- 권당 진단평가 5회

유초등 교과 과정의 핵심적인 도형원리를 각 학년에 맞게 4개의 학습영역으로
나누어 과학적이고 체계적으로 설계된 새로운 패러다임의 도형 전문 학습지입니다.

플라토 **S**시리즈 대상:6세

	S1. 평면규칙	S2. 도형조작	S3. 입체설계	S4. 공간지각
1주차	점과 선	길이 비교	입체 모양 관찰	잘라내기
2주차	똑같은 모양	모양 붙이기	블록 모양 만들기	종이 접기
3주차	도형 세기	모양 자르기	쌓기나무	투명 종이 겹치기
4주차	도형 규칙	거울과 위치	입체도형 세기	모양 겹치기

플라토 **C**시리즈 대상:초3

	C1. 평면규칙	C2. 도형조작	C3. 입체설계	C4. 공간지각
1주차	직선과 각	밀기와 뒤집기	쌓기나무 그리기	색종이 공예
2주차	직각이 있는 도형	돌리기	쌓기나무 세기	구멍난 종이
3주차	도형 그리기	도형의 이동	입체의 부피	여러 방향 관찰
4주차	패턴 무늬	원과 길이	큐브 블록	색종이 겹치기

플라토 **P**시리즈 대상:7세

	P1. 평면규칙	P2. 도형조작	P3. 입체설계	P4. 공간지각
1주차	도형 그리기	같은 길이	입체도형 관찰	구멍난 종이
2주차	같은 도형	세모 붙이기	블록 모양 만들기	종이 접기
3주차	도형 세기	네모 붙이기	쌓기나무	여러 방향 관찰
4주차	도형 규칙	거울에 비친 도형	층층 쌓기	도형 겹치기

플라토 **D**시리즈 대상:초4

	D1. 평면규칙	D2. 도형조작	D3. 입체설계	D4. 공간지각
1주차	각도기와 각	도형의 각	입체 찍기	점의 이동
2주차	삼각형	삼각형의 성질	입체도형 포장	도형과 점의 이동
3주차	수직과 평행	사각형의 성질	쌓기나무 포장	같은 도형, 다른 도형
4주차	다각형	선 긋기와 각	포장 종이 잇기	정다각형을 붙인 도형

플라토 **A**시리즈 대상:초1

	A1. 평면규칙	A2. 도형조작	A3. 입체설계	A4. 공간지각
1주차	점과 선의 수	넓이 비교	입체도형 연구	구멍난 종이
2주차	여러 가지 도형	패턴블록	여러 가지 입체	접고 잘라내기
3주차	도형 세기	도형 돌리기	쌓기나무 세기	여러 방향 관찰
4주차	도형 규칙	모양 만들기	입체도형 추리	겹친 실루엣

플라토 **E**시리즈 대상:초5

	E1. 평면규칙	E2. 도형조작	E3. 입체설계	E4. 공간지각
1주차	다각형의 둘레	직사각형의 넓이	직육면체	점의 이동
2주차	합동	평행사변형, 삼각형의 넓이	직육면체의 전개도	도형과 점의 이동
3주차	선대칭	사다리꼴, 마름모의 넓이	전개도 그리기	주사위
4주차	점대칭	다각형의 넓이	전개도와 대각선	뚜껑이 없는 상자

플라토 **B**시리즈 대상:초2

	B1. 평면규칙	B2. 도형조작	B3. 입체설계	B4. 공간지각
1주차	원과 다각형	길이 재기	입체도형 연구	색종이 공예
2주차	도형 그리기	칠교판	본뜬 모양	여러 방향 쌓기
3주차	도형 세기	길이의 합과 차	쌓기나무 발자국	투명 종이 겹치기
4주차	점판 그리기	모양 만들기	쌓기나무 세기	그림자 추리

플라토 **F**시리즈 대상:초6

	F1. 평면규칙	F2. 도형조작	F3. 입체설계	F4. 공간지각
1주차	원주와 원주율	직육면체의 겉넓이	각기둥	쌓기나무의 수
2주차	원을 이용한 길이	직육면체의 부피 1	각뿔	위, 앞, 옆 모양
3주차	원의 넓이	직육면체의 부피 2	전개도	위, 앞, 옆과 수
4주차	원을 이용한 넓이	원기둥의 겉넓이와 부피	원기둥, 원뿔, 구	큐브 연결

"

Numbers rule the universe.

"

"수가 우주를 지배한다"

Pythagoras, 피타고라스

모델명 : 씨투엠 응용연산

제조년월 : 초판 1쇄 2019년 10월

제조자명 : ㈜씨투엠에듀   **발행인** : 한헌조

주소 및 전화번호 : 경기도 수원시 장안구 파장로 7(태영빌딩 3층) / 031-548-1191

제조국명 : 한국

사용연령 : 만 5세 이상

이 책의 전부 또는 일부에 대한 무단전재와 무단복제를 금합니다.

홈페이지 : www.c2medu.co.kr

지원카페 : cafe.naver.com/fieldsm

씨투엠 응용연산 D2

값 8,000원

64410

9 791162 290736

ISBN 979-11-6229-073-6

상위권으로 가는 문제 해결 연산 학습지

응용
연산

C2
초3~초4

여러 가지 분수

씨투엠에듀가 제안하는 신개념 학습 로드맵

도형	연산	서술형 / 문장제
공간감각을 위한 하루10분 도형학습지 **플라토**	상위권으로 가는 문제해결 연산학습지 **응용연산**	하루10분 서술형 / 문장제 학습지 **수학독해**

지식과 상상 연구소

since 2013 대표 한헌조, 연구소장 김성국

창의적인 생각 · **재미가득 활동** · **의미있는 지식** · **자유로운 상상**

생각, 활동, 지식, 상상을
수학이라는 그릇에
아름답게 담아내고 싶은
수학 교구, 교재 연구 집단입니다.

교구 프로그램

- 3D 두뇌 트레이닝 **지오플릭**
- 생각을 감는 두뇌회전 놀이 **릴브레인**
- 수학 보드게임 시리즈 **필즈엠**
- 초등 창의사고력 수학 교구 프로그램 **씨투엠클래스**
- 유아 창의사고력 활동 수학 프로그램 **씨투엠키즈**

교재 시리즈

- 생각을 감는 두뇌회전 연산 **릴브레인북**
- 공간 감각을 위한 하루 10분 도형 학습지 **플라토**
- 실전 사고력 수학 프로그램 **씨투엠RAT**
- 하루 10분 서술형/문장제 학습지 **수학독해**
- 상위권으로 가는 문제해결 연산 학습지 **응용연산**

필즈엠 수학으로 하나되는 무한상상 공간

필즈엠 카페는 최신 교육정보 및 다양한 학습자료를 자유롭게 공유하는 열린 공간입니다.

1. 답안지 분실시 다운로드
2. 교구 활동지 다운로드
3. 연령별 학습 커리큘럼 제안
4. 교육 모임
5. 영상 학습자료 지원

필즈엠 카페 cafe.naver.com/fieldsm